歴史の歯車をまわした

発明と発見
その衝撃に立ち会う本

おもしろ世界史学会［編］

青春出版社

発明・発見の現場を見ると、世界史がもっと面白くなる！

偶然が呼び込んだ世紀の発見か、それとも苦難の末に生まれた奇跡の発明か。それは、いったいどのようにして誕生し、なぜ世界の歴史に新たなページを刻むことができたのか――。もし、その場に居合わせることができたら、新しい〝世界〟が生まれた瞬間を目の当たりにできたはずだ。

本書は、古今東西の発明と発見に「立ち会う」ことで、世界史に新たな角度から光をあてた一冊だ。

人の移動と物流に大変革をもたらした「車輪」の発明をはじめ、三大発明（火薬・羅針盤・活版印刷）が当時の社会に与えた本当のインパクト、「コンピュータ」の誕生で花開いた開発者たちの夢など、世界を変えた発明・発見をとおして、熱意と好奇心、そして運が重なったその〝現場〟を詳細に再現している。

そんな〝誕生秘話〟を知れば知るほど、世界史がもっと楽しくなるずである。

２０２３年11月

おもしろ世界史学会

歴史の歯車をまわした発明と発見 その衝撃に立ち会う本◆目次

Chapter 1

見えないものを見る力 ——それはいかに誕生したか …… 9

Chapter2
世紀の「発明」「発見」の〝現場〟で何が起きていたのか

Chapter3

Chapter4

世界を変えた「発明」「発見」の力……133

Column 未来を変える「発明」のはなし2

■ＤＴＰ　フジマックオフィス
■制作　新井イッセー事務所

Chapter 1

見えないものを見る力
——それはいかに誕生したか

世界初の抗生物質「ペニシリン」発見をめぐるドラマ

●無頓着すぎる性格

「失敗は成功のもと」とも「失敗は成功の母」ともいう。世界初の抗生物質である「ペニシリン」は、ブドウ球菌、肺炎菌、大腸菌、インフルエンザ菌などに対して有効であり、肺炎、気管支炎、膀胱炎、腎盂炎、子宮内感染、淋菌感染など100種類以上の病気に効果があるが、その発見はまさに失敗から生まれたものだった。

発見したのは、アレクサンダー・フレミングというイギリスの細菌学者だ。フレミングは1881年、スコットランドに生まれ、1906年にイギリスのセントメリー医学校を卒業した後、第一次世界大戦に軍医として従軍した。

戦場で彼は負傷した兵士がその傷による感染症で苦しむのを数多く目の当たりにする。その経験により、彼はいかにして感染症から人間を守るかという問題に取り組むようになった。

その思いがのちのペニシリンの発見へとつながるのだが、フレミングは、ペニシリンの前にもうひとつ重大な発見をしている。「リゾチーム」だ。

今では風邪薬の成分として知られるリゾチームだが、その発見にも彼の小さな失敗が関わっている。それは、あまりにも無頓着すぎる彼の性格なればこその出来事だった。

●くしゃみがきっかけだった

第一次世界大戦が終結して3年が経った1921年。軍医としての役目を終えて研究者生活に戻っていたフレミングは、自宅と研究室を行き来する生活を送っていた。

11月のその日も、いつものように研究室で研究に没頭していたが、やや風邪ぎみだったフレミングは、ふいに鼻にむずがゆさを感じた。一度は我慢しようとしたが、しかし二度目の我慢は効かなかった。ついに大きなくしゃみをしてしまった。

大丈夫ですか、と心配するまわりの同僚たちに謝っているとき、彼は自分がとんでもない失敗をしたことに気がついた。目の前には研究用に細菌を塗抹（とまつ）したシャーレがあったのだが、そのシャーレにくしゃみの飛沫を付着させてしまったのだ。研究者としてはあまりにも不用意だ。本来ならば、くしゃみの瞬間に顔をそむけるべきだった。

「何てことだ。大切な実験材料を無駄にしてしまった」

しかたなく彼は自分でシャーレを取り上げて洗おうとした。その間およそ数十秒だったが、彼は思いがけないものを目にしてそれを洗うのをやめた。なんと、くしゃみの飛沫が付着した部分だけ、細菌が消えていたのだ。それを見てフレミングの科学的探究心が刺激された。

「もしかして、くしゃみの飛沫には細菌を殺す成分が含まれている？　いや、まさか…でも、そうとしか考えられないではないか」

想像もしなかった事態だったが、しかし彼はそんな仮説を立て、そしてさっそく確認のための実験に取りかかった。すぐに新しい細菌混濁液を作り、そこに自分の鼻水を垂らしてみたのだ。ほかの研究者たちは、いきなりそんなことを始めたフレミングを奇異な目で見ていたかもしれないが、しかし彼はお構いなしだった。

そして約2分後、ついに彼は細菌により濁っていた混濁液が透明な水のように透き通っているのを見た。

「見たまえ！　細菌が死滅したぞ！」

予想したとおりの結果に彼は思わず大声を上げた。

さらに彼は同僚や研究室の訪問者の鼻水などを採取して実験を続けた。その結果、鼻水だけでなく涙や唾液にも細菌を死滅させる物質が含まれていることがわかった。これが「リゾチーム」と名づけられた物質だったのだ。

彼はのちに、こう語っている。

「あのとき、私は研究室の室長という偉い立場にあった。だから、くしゃみをしても落ち着いていられたのだ。もしも下っ端の研究員だったら、くしゃみをしてシャーレをダメにしてしまったことを平謝りに謝って、それで終わりだっただろう」

●ひとりの来客がもたらした大発見

それは間違いなく驚異的な大発見だった。そしてフレミングは、細菌を殺すような物質は意外と身近に存在するのかもしれない、と考えるようになった。それがペニシリンの発見につながったこともまた事実である。

それから数年後、いよいよ彼の名を歴史に刻む出来事が待っていた。

1928年、1か月ほどの休暇を終えたフレミングは、久しぶりに研究室に足を運んだ。ちょうどその日、かつての研究助手だったマーリン・プライスがほかの職場に移る前に挨拶に来ることになっていた。フレミングもプライスに会うつもりだった。

研究室で待っていると、やがてプライスが入ってきた。プライスは長い間慣れ親しんできた研究室を見回していたが、やがてあることに気がついた。

「先生、カビですよ」

フレミングは当時、化膿したキズや感染した皮膚から採取した「黄色ブドウ球菌」の研究をしていたが、その細菌培養用のプレートにカビが生えていたのだ。

「ああ、私としたことがとんだ失敗だったな。じつは今日は休暇明けなんだよ。1か月も休暇をとるのだから、休む前にきちんと洗っておくべきだったんだ」

いかにも物事に無頓着なフレミングらしい失敗である。使い物にならなくなったプレートを洗おうとして、フレミングはふと手を止めた。持っているのはブドウ球菌を培養しているプレートだったが、カビは死滅しているブドウ球菌のまわりに円形に発生していたのだ。

「ん？　これはどういうことだろう」

彼はプレートをのぞきこみ、その青緑色のカビに強い興味を持った。

「もしかしたら、このカビの中にブドウ球菌を死滅させる何かが含まれているのではないだろうか。よし、このカビを徹底的に調べてみよう！」

さっそく彼は、アオカビを顕微鏡で徹底的に調べた。そして、アオカビがある液体を分泌していて、その液体が細菌を殺していることに気がついた。

「やはりそうか。アオカビには細菌を殺す効果があるのか。もしかしたら、ブドウ球菌だけではなくてほかの細菌にも効果があるかもしれない」

そして彼は、他の細菌に対してもアオカビの効果を試してみた。

●日の目を見たのは10年後

それがきっかけとなり、フレミングは本格的にカビの研究を始めた。そしてペニシリンという歴史的な大発見につながったのである。

ただし、それが医薬品として知られるまでには時間がかかった。アオカビの中からペニシリンを抽出するのは技術的にかなり困難だったからだ。その製造技術を持たなかったフレミングは医療現場に活かすことができないまま、その歴史的発見は長く忘れ去られることになった。

ようやく日の目を見たのは、それから10年以上もたった後である。オックスフォード大学のハワード・フローリーとエルンスト・チェインが抗生物質を研究しているときに、フレミングの論文を見つけてこれを実用化することを思いついた。これでようやくアオカビの分泌液からペニシリンを抽出する方法が考え出され、大量生産につながったのだ。

1943年には1か月に50万人を治療するペニシリンが作られ、多くの人の命を救うことができるようになったのである。

未知の栄養素「ビタミン」を発見した二人の研究者の物語

●アジアにしかないもの

ビタミンは誰もが知るとおり、人間にとって重要な栄養素のひとつだが、この言葉は、ラテン語で「生命」を意味する「vita」と、「窒素を含むビタミン化合物」を意味する「amine」を組み合わせてつくられた造語である。考え出したのはポーランドの生化学者カシミール・フンクだ。

1911年、彼はロンドンのリスター研究所で米ぬかから鳥類白米病に有効な物質を発見し、その物質に「ビタミン」という名前をつけた。そのことにより「ビタミンの発見者はフンク」とされた時期があった。

しかし現在では、すでにフンクの1年前にビタミンを発見した人物がいたことが知られている。それは鈴木梅太郎という日本人の農学者である。

1874年に静岡県に生まれた梅太郎は向学心にあふれ、学問への意欲が強かった。15歳のとき、両親に断りもなく上京して貧乏をしながら勉学に励み、東京帝国大学農学科に入学して首席で卒業した。

その後、ドイツに渡ってベルリン大学で2年間、タンパク質やアミノ酸について研究したが、帰国に際して教授からのちの人生を左右する貴重なアドバイスを受けた。

「きみは日本人だ。だからアジアにしかないものを研究しなさい」

この言葉に刺激を受けた梅太郎は、日本人の主食であるコメの研究に打ち込むようになった。そしてそれが、歴史的な大発見につながったのである。

●白米中心の生活が招いた悲劇

帰国後の梅太郎は、コメの研究に熱中した。その結果、これまで知られていない未知の栄養素の存在に気がついた。それだけでなく、その成分が「脚気（かっけ）」の治療に効果があることを発見した。

そして梅太郎はさらに詳しく調べることで、その成分が精米して白米にするときに捨てられる米ぬかにあることを突き止めたのである。

1910年12月にその中から抗脚気成分の抽出に成功すると、この新物質を稲の学名であるオリザ・サティバにちなんで「オリザニン」（ビタミンB_1）と命名して、未知の栄養素として発表した。それが世界で最初のビタミンの発見だったのだ。フンクの発見より、実に1年も早いのである。

脚気は当時の日本で流行していた病気のひとつで、日本人は江戸時代から脚気に苦しめられていた。手足がしびれたり、体がだるくなったりする病気で、最悪の場合、悪化して死んでしまうこともある。今では、その原因はビタミンB_1の不足にあることがわかっている。

そのころ、なぜビタミンB_1が不足したかといえば、その理由は食生活にあった。江戸時代になってから精米技術が進み、人々は白米を食べるようになった。そのために米ぬかを口にすることがなくなったのだが、ビタミンB_1はその米ぬかに含まれているのだ。

また、ビタミンは本来、エネルギー源になったり体をつくるための成分ではないが、ほかの栄養素がうまく働くためには不可欠の存在である。ほかの栄養素をいくら摂ってもビタミン不足ではそれがほとんど役に立たない。そういう意味でビタミンは重要なのだ。

人間が必要とするビタミンの量はとても少ないのだが、体の中でほとんど作ることができないため、基本的に食べ物から摂取するしかない。

昔はそれを米ぬかから摂取することで補っていた。しかし米ぬかを食べないようになったことで、一気にビタミンB_1不足になったというわけだ。

梅太郎が米ぬかからビタミンB_1を発見し、オリザニンを開発したことは、日本人の体質改善に大きな力になった。日本人を苦しめてきた脚気は、それ以降激減した。

●根強い農学者への偏見

とはいえ、梅太郎の発見はすんなり認められたわけではない。当時の医学界では脚気は伝染病と考えられていたため、梅太郎がオリザニンの臨床実験の重要性を主張したところで誰も相手にしなかったのだ。

それどころか、「医者でもなければ薬学博士でもない、ただの農学者に難病に効く物質を発見できるわけがない。とんだ茶番だ」などと馬鹿にする者も少なくなかった。同じ発見をしたフンクに先を越されてしまった背景には、日本の医学界での偏見もあったのである。

しかし梅太郎は、「医学は人の役に立たなければ意味がない」という信念のもとに邁進した。その結果、彼の研究は注目されたのである。

ちなみに、当時は海軍と陸軍では脚気の対処が異なっていた。陸軍は脚気感染症説に固執し、脚気対策のための麦飯の支給を行わず、結果的に25万人を超える患者と2万人以上の死者を出す事態を引き起こしている。ちなみに軍医総監は森鷗外だった。

一方、海軍は脚気が栄養失調の一種だと考え、脚気予防のための麦飯の支給を行ったため、数十人の患者は出したものの死者はわずかだった。梅太郎のオリザニンの有効性は、こんな形でも立証されたのである。

梅太郎の発見は1911年にドイツの専門誌で発表されたが、日本語だったので注目されることはなかった。その翌年にフンクが同じ栄養成分を発見して「ビタミン」と命名、その第一発見者とされた。梅太郎の功績が知られたのは翌年のことである。

「ダイナマイト」の発明者ノーベルが抱えた葛藤の正体

●待ち望まれた新しい爆発物

世界三大発明のひとつである火薬が生まれたのは、9~10世紀の中国だといわれている。それがヨーロッパに渡り、さまざまな改良を加えられて黒色火薬となり、戦場はもちろん、岩石や地盤を爆破する採掘現場などでおもに使われていた。

19世紀の半ばまではその黒色火薬の時代が続くが、硝酸カリウムと木炭さえあればできる黒色火薬には欠点も多かった。少しでも濡れると発火しないし、煙の量が多く、そもそも爆発力が弱くて、採掘現場などでは思ったような結果が出せないことも多かった。もっと強力で使いやすい火薬が早くから求められていたのだ。

それを受けて1845年にはニトロセルロース（綿火薬）が作られた。これは綿に硫酸と硝酸の混合物を混ぜたもので、黒色火薬よりも爆発力が大きかった。

また、1847年にはニトログリセリンが登場する。イタリア人の化学者アスカニオ・ソブレロが合成に成功した化合物で、これは無色透明の液体だ。ちょっとのショックでも大爆発を起こすのでかなり危険で、実際に事故も多発した。

馬車で運んでいる途中、ニトログリセリンを入れた樽がでこぼこ道で揺れて大爆発し、何十人という死者が出たこともあった。ただ、ニトログリセリンは強大な爆発力を持つので、広く利用されるようになっていく。

しかし、このような状況のなかで、世界はさらに新しい爆薬の登場を待ち望んでいた。そして、やがてそれが実現することになる。

●より安全な爆薬を求めて

1842年、ある家族がスウェーデンからロシアへと移住した。父親の名前はイマヌエル・ノーベル。そして、息子のひとりがアルフレッド・ノーベルだった。

父はその新天地で新しい事業を興した。皇帝に優れた軍事装備を提供することにより、国に奉仕しようと考えたのだ。そのために父はアルフレッドを海外へ留学させ、科学の知識を身につけさせた。

発明家だった父親の影響で、アルフレッドも科学や機械に興味を持つ、知的好奇心にあふれた少年として育った。父はそんなアルフレッドに期待したのだ。

そのアルフレッドが29歳になったとき、「ニトログリセリンと黒色火薬を混ぜ合わせた爆薬の研究を始めてみないか」と父はひとつの提案をする。黒色火薬にもニトログリセリンにも前述のような欠点があったからだ。

1863年、さっそくアルフレッド・ノーベルは、このニトログリセリンを安全に、しかも大量に製造することに成功し、起爆方法に工夫を凝らした「油状爆薬」として特許も取った。みごとに父親の期待に応えたのである。

ところが、その研究をもとにして工場経営を進めていた父の事業がうまくいかず、さらには1864年にニトログリセリンの爆発事故が起こり、弟や多数の労働者を失うという悲劇にみまわれた。そして父親はこの事故にショックを受け、失意のうちに死んでしまう。

実は、同じような爆発事故は各地で頻発していた。自分が開発に携わったものが多くの人命を奪っている、その事実にアルフレッドは衝撃を受け、その出来事が彼の運命を決定づける。

●画期的な「ダイナマイト」の誕生

「もう二度と弟のような犠牲者は出したくない。しかし、不安定で危険なニトログリセリンをいかにして安全に使いこなすことができるだろうか」

そんな思いを抱いた彼は、ニトログリセリンの研究に打ち込むようになった。目標を達成できないままで死んだ父、そして自分の発明したものが原因で若くして命を落とした弟のことを思いながらアルフレッドは絶え間なき努力を続ける。

とくに紙、パルプ、おがくずなどさまざまな材料と混ぜ合わせることで、どうやれば安全に扱えるかを考えた。その結果、ケイソウ土（ケイソウの殻の化石からなる堆積物）にニトログリセリンをしみ込ませると安定性が増し、扱いやすくなることを発見した。１８６６年のことだ。

さらに「雷管」を使うことで、爆発力を維持することもできた。翌年の１８６７年に彼は爆薬を「ダイナマイト」として市場に出した。

ちなみにダイナマイトという名前は、ギリシャ語で「力」を意味するdynamisに由来している。その強力な爆発力と、安全性からたちまち世界中に広まった。

こうして30代にして巨万の富を手に入れたノーベルは、兵器の開発や製造に乗り出した。ノーベルの一連の発明や技術開発は、軍事技術にも大きな影響を与えたのである。

ノーベルは、ダイナマイト以外にも無煙火薬バリスタイトを開発して、軍用火薬として世界各国に売り込んだ。世界各地で約15の爆薬工場を経営し、ロシアにおいてはバクー油田を開発して巨万の富を築いた。

●「死の商人」への反発

ところが、ある出来事に彼は大きな衝撃を受けた。

1888年、彼が50歳半ばのときに兄が亡くなったのだが、新聞には兄ではなくアルフレッド・ノーベルの死亡記事が掲載されていたのだ。それは新聞社のミスだったが、それを読んで彼は驚いた。

「死の商人？　もしかしてこれは私のことなのか？」。新聞は彼のことを『死の商人』と称していたのだ。彼はショックを受けた。たしかにダイナマイトで命を奪われた人が多かった。しかしそれは彼が望んだことではない。

ノーベルは自分の発明が世界の平和と人類の幸福に役立つことを望んでいた。その願いとは真逆の現実に彼は生涯にわたって胸を痛めていた。

１８９６年に彼は63歳で亡くなったが、その遺言状で次のように書いた。

「私の全資産を基金に当て、その利子を賞として、人類のために大きな貢献を果たした者に毎年授与する」

彼は自分の発明したダイナマイトが、結果的に多くの人命を奪う結果となってしまったことを深く悔いていた。だからこそ、自分の財産を人類の幸福と平和のために使われることを強く望んだのである。これが現在のノーベル賞である。

エジソンvs.テスラ、「電球」発明の本当の勝者は誰か

●質問ばかりの少年時代

「どうして?」「なぜ?」

1847年、アメリカ東部オハイオ州に生まれたその少年は、小学校の先生にいつも疑問を投げかけていた。リンゴはなぜ赤いのか? 2×2はなぜ4なのか? 誰もが当たり前だと思っていることにも、なぜそうなるのかと問いかけた。

あるとき、「火はなぜ燃えるの?」という疑問にとりつかれて、実際に火を燃やしてしまい火事を起こしたこともある。かなり迷惑な子供だったのだ。

ついに小学校の教師は、もういい加減にしてくれと悲鳴を上げた。それからの彼は学校へ行かず、家で母親に勉強を教えられるようになる。少年の名は、トマス・アルバ・エジソン。のちに発明王として歴史に名を残す人物だ。

彼は12歳で新聞の売り子になったが、そのころの人々は南北戦争の戦況を知りた

がっていたので新聞は飛ぶように売れて、エジソンは若くして多くの金を儲けた。その金で彼はニューアークに実験所を作り、122件もの特許を得た。

さらに1878年には、メンロパークにエジソン電灯会社を設立する。そこで彼は翌年、40時間も発光し続ける電球の発明に成功したのである。まさにエジソンの代名詞ともいえる歴史的な大発明である。

●600時間の点灯をめざす

ところで、世界で最初に白熱電球を発明したのはエジソンではない。イギリスのジョセフ・スワンという物理学者が1877年にすでに白熱電球を発表している。

そのころ、白熱電球は多くの研究者によって開発が進められていた。そのなかでもとくにスワンは、それ以前の研究で使われていたプラチナ製のフィラメントを、炭化した紙のフィラメントに代えることで電球を光らせて40時間という連続点灯時間を実現した。

負けず嫌いのエジソンは、それを知って、自分ならもっと長く点灯できて、より実用的な電球を作ることができると、さらに情熱を燃やした。

エジソンが初の実用化に成功した際の電球のフィラメントは、木綿の糸にタールを塗ったものだった。しかし、さらに寿命を延ばさなければ商用化できないと考えたエジソンは、さまざまな素材のフィラメントを試した。１８７９年に木綿糸に煤とタールを塗って炭素化させたフィラメントを用いることで、45時間も点灯する白熱電球を作ったのである。

それでも「まだ足りない。人々の日常生活に役立つには、せめて６００時間は点灯させなければ」と考えた彼は、世界中からいろいろな素材を集めてフィラメントを作り、次々と試してみた。そしてたまたま研究室にあった中国産の扇子に使われていた竹を用いたフィラメントで、２００時間の点灯を記録した。

しかし、６００時間にはまだ遠く及ばなかった。

「竹だ。おそらく、長時間点灯のカギは竹に違いない。竹を探せ！」

部下を世界中に送り、さまざまな土地の竹を取り寄せた。

●京都の竹との出会い

その中のひとり、ウィリアム・H・ムーアという人物は日本へと旅立った。そしてのちに総理大臣となる伊藤博文と会ったときに、耳寄りな情報を聴きつける。

「京都にとてもいい竹がありますよ」

現在の京都府八幡(やわた)市に生えている真竹は、繊維の状態がよく、工芸品や刀剣の留め具の材料として重宝されていた。ムーアはさっそくそれを持ち帰った。

１８８０年、エジソンはその京都の竹を使ってフィラメントを作り、実験した。その結果はエジソンの想像をはるかに超えるものだった。１２００時間以上も点灯したのである。

これに自信を得たエジソンは電気照明会社を設立し、１８８２年に世界初の電灯用発電所をロンドンに建設した。

そしてソケット、スイッチ、安全ヒューズをはじめ、配電盤や電灯付帯設備を作り、さらに配電、送電、発電などのシステムも考え出して、電気というものを社会に活かすための基本設計を完成させるのである。

●テスラとのシステムを巡る争い

「天才とは99％の努力と１％のインスピレーションだ」とはエジソンの言葉として

知られている。発明王という異名をとるエジソンは、何もないゼロのところから、いきなりすばらしいものを生み出した魔法使いのような印象を抱かれがちだ。

しかし実際は、そうではない。すでに誰かが何かを生み出そうとしてなかなかうまくいかないものからヒントを得て、それを持ち前の科学的知識と探求心で工夫を凝らし、優れた技術によってまったく新しいものに作り替えていく。それこそがエジソンの才能だった。

しかし、そんなエジソンが敗北したことがある。それはテスラとの「交流か直流か議論」である。

テスラもエジソン同様に早くから才能を見出された天才だった。グラーツ工科大学に入学した彼は、ある授業で「グラム発電機（直流電流の発電装置）」がモーター回転時に火花を発しているのを見て「これはエネルギーの損失ではないだろうか？」と思ったという。

それをきっかけに彼は発電方法の改善を考えるようになり、5年後に世界で初めての交流電流の発電装置を発明。これをもとに交流電流による発電・送電のアイデアを構想したのである。

当時はエジソンが考え出した直流電流の時代だった。しかし交流電流は電圧が変圧しやすいので利便性が高く、コストもかからないので、テスラは交流電流こそが新しい時代にふさわしい、交流電流を世界に広めるべきだと信じていた。

1884年、テスラはエジソンの会社で働くことになり、当然のことながらエジソンに交流電流について提案した。ところが直流電流を信じていたエジソンは、テスラのアイデアを真っ向から否定した。ここに、交流対直流の熾烈な戦いが始まったのである。

●相手を叩いて優れた自分を見せる

しかし、この戦いはやがてテスラの勝算が強くなる。交流電流のメリットが世間に広まるにつれてエジソンの旗色は悪くなっていく。エジソンは直流電流の優位性を保つために、交流電流は危険だと広める活動を活発化した。

たとえば、死刑用の電気椅子に交流電流を採用させようと働きかけたことは、エジソンの容赦ない攻撃性を示す有名なエピソードとしてよく知られる。対するテスラも100万ボルトの交流電流を自身の体に通すなど、安全性をアピールした。この泥沼の戦いは「電流戦争」として数年にわたって続いた。

この戦いで勝利をおさめたのはテスラだった。交流電流の有用性と安全性はしだいに人々に認められていき、1893年、シカゴ万博やナイアガラの滝での発電事業に交流電流が採用されると、もはやエジソンの直流電流にこだわるものはいなくなってしまう。

ついに敗北したエジソンだが、交流電流に対する徹底したネガティブキャンペーンを展開し、とくに、わざわざ死刑のための電気椅子に交流電流を採用させ、「交流電流はこれほど残酷なものなのだ」とアピールしたことは、後世のアメリカ社会における「相手を叩いて自分を優れたものに見せる」というビジネスのやり方にも反映されている。

「電話」の発明をめぐる〝三つ巴の戦い〟の結末は？

●グラハム・ベルの第一声

「ワトスン君、こっちへ来てくれないか！」

彼はそう叫んだ。うっかりして希硫酸をズボンにこぼしてしまったので、あわてて助手のワトスンを呼んだのだ。これはグラハム・ベルが初めて電話機の実験をしたときの第一声だといわれている。

ワトスンはすぐにやってきた。どうやら声は聞こえたらしい。ということは、電話の実験は成功したのである。

しかしベルは、希硫酸で濡れてしまったズボンに気をとられて、その喜びを噛みしめる余裕もなかったかもしれない。あるいは、ほかに第一声にふさわしい言葉を考えていたかもしれない。だとしたら、残念ながら予定どおりにはいかなかった。

とはいえ、電話を通じて声が聞こえることは確認できた。ベルとワトスンがすぐに場所を入れ替わり、今度はワトスンのほうからベルに話しかけた。それは、ある本の一節の朗読だったが、残念ながらその声は不明瞭だった。

しかし、とりあえず第一声だけはきちんと聞こえた。それはたしかである。だから世界で最初に電話機を発明したのは、アメリカのグラハム・ベルである、という事実に間違いはない。ただし、電話機の発明については複雑な事情がある。

離れた場所にいる人間同士で会話ができる機械というアイデアをもとにして、19世紀後半から多くの発明家や学者たちが電話機の研究を重ねていた。人間の声をいかにして電気信号にして送り、それをいかにして音声に戻すか、その方法についてはいろいろと考え出されていたのだ。

現在、一般的には「電話の発明者はグラハム・ベルだ」という声が多い。しかし、その一方で「アントニオ・メウッチだ」という主張もある。果たしてメウッチとは誰なのだろうか。そして電話の発明には、なぜ複雑な事情があるのだろうか。

●ベルの電話を改良したエジソン

アレクサンダー・グラハム・ベルは、1847年にイギリス連邦スコットランドのエディンバラで生まれた音声生理学者である。

1871年にアメリカのボストンにある学校で職を得るが、それは聴覚障害の人たちの学校だった。

ベルの父親は読唇術の発明者だったが、ベルの母と妻は耳が不自由だった。そのために聴覚障害者の教育に情熱を注ぎ、補聴器の発明を試みたことでも知られている。

そんな環境のなかでベルは音声学を研究するようになり、その熱意から人と人とが遠く離れていても会話ができる機械を発想したのである。

そして、1876年3月にアメリカの特許を取得して3日後に電話で音声を伝えることに成功した。それが冒頭の言葉だった。

そのしくみは、音声を送話器で電流に変え、その電流を受話器のところで音声にするというものだった。ただし、その効率は悪く、相手の声がよく聞こえないという弱点があったため、完成品とは言い難いものだった。

そんなベルの電話の弱点を改良したのがエジソンだった。彼が開発した炭素型マイクは、ベルが開発したものの3倍以上の感度だったといわれる。

しかし、電話の発明者とされるグラハム・ベルが、アメリカの特許庁に特許を出願したのは、エジソンが書類の不備で申請を却下されてから1か月後の1876年2月14日だった。

実は、そのベルに遅れること2時間、電話のもととなる機器を発明したイライシャ・グレイという人物も特許を出願したが、アメリカの制度では先に特許を出願した者を優先するため、電話機の特許はベルのものになった。

●特許取得に失敗したメウッチ

その一方、1871年にイタリアのアントニオ・メウッチが、重病の妻との会話を目的に電話を発明した。時期的にはベルやエジソンと比べて遜色はない。

ところが、メウッチが経営していた会社が倒産して金がなくなり、電話機の特許申請料を払えないという悲運に見舞われた。ベルが特許を取得するよりも5年も前の話である。

ところがメウッチは、1854年ごろに電話機の試作品を完成させていた。しかしその時も特許出願に必要なお金が足りず、特許申請ができなかった。よくよく金に縁のない人物で、そのために貴重な特許を二度までも取得できなかったのである。

しかし特許を取得できなかったというだけで、電話そのものを作り出した事実は変わらない。このように誰を電話の発明者とするかについてはいろいろな事情があり、決定づけるのはたしかにむずかしいのである。

長い間、ベルこそが電話の発明者だとされてきた。ベルは1900年のパリ万国博覧会で電話を紹介したり、電話会社を創業して電話網を拡大したりと、電話の発展に貢献したという事実がある。だから日本では電話の発明者＝ベルという常識が広まったのである。

ところが2002年、この複雑な議論にひとつの決着がなされた。アメリカ合衆国議会で「イタリアのメウッチが最初に電話を発明した」と認める決議が行われたのだ。

その結果、電話の発明者としての栄誉は、今はメウッチのものになっている。

「飛行機」の空飛ぶ夢は、誰のどんな思いが結実したのか

●リリエンタールが事故死

鳥のように大空を飛びまわることは、人類にとって大きな夢だった。

「なぜ鳥は飛べて、人間は飛べないのか」。その違いは一目瞭然で、翼を持っているかどうかにあると考えた。

「あの翼さえあれば…」

そう考えたいにしえの人々は、父親の作った翼で迷宮から脱出する『イカロスの翼』という神話を生み出し、口承してきた。

だが、実際には翼を持つだけでは人間が空を飛べるわけではない。レオナルド・ダ・ヴィンチは鳥類の骨格や筋肉を徹底的に調べ上げ、手と足を使って翼を上下させるフライングマシンという装置を考えたが、これも人間の筋力を考えると不可能だとわかる。

19世紀ごろからは、小鳥のように翼を上下させるのではなく、固定した翼で空気をとらえるグライダー型の飛行機が考案された。

最初に固定した翼のグライダーで空を飛ぶことに成功したのはイギリスのジョージ・ケーリーで、そしてそれをさらに研究し、滑空飛行の実験データを積み重ねていったのはドイツの発明家オットー・リリエンタールだったが、実験中に強風にあおられて墜落、死亡してしまう。

ライト兄弟が、飛行機の開発を決意したのは、このリリエンタールの事故死を伝え聞いたときだったという。

●機械好き兄弟

世界初の有人動力飛行の成功者である「ライト兄弟」として語り継がれているウィルバー・ライトと4歳年下のオーヴィル・ライトは、アメリカのオハイオ州でライト家の5人兄弟の三男と四男として育った。

子供のころからの機械好きが高じて、成長すると二人で自転車の販売と修理をする店を始めたが、そのうちに自転車そのものを製作するようになったという。

リリエンタールの事故のニュースをきっかけに飛行機の開発に目覚めた彼らは、まずリリエンタールが残した滑空実験のデータをもとに翼の製作に取りかかった。

しかし、空中に浮くための揚力が思ったほど得られなかったため、自らデータを集めることにした。風洞（ふうどう）という筒の中に送風する実験装置を作り、この中にさまざまな形の翼を入れてもっとも大きな揚力が出る形を探ったのだ。

翼の形が決まるとグライダーを試作し、凧のようにしてロープをつけて飛ばしてみたり、実際に乗って研究を重ねる。

ところで、すでに鉄道や自動車などが実用化されていた19世紀末当時の欧米で飛行機の研究を行っていたのは、もちろんライト兄弟だけではなかった。有名な科学者も飛行機の開発を行っていたが、この当時はまだ誰もが「飛ぶ」イコール「空中に浮く」という認識にとどまっていて、自由に任意の場所にたどり着く鳥のような飛行にはほど遠かった。そんななか、ライト兄弟も模索を続けていたのだ。

●空気の流れを変えるねじり翼

飛行機の開発の歴史の中でブレイクスルーとなったのは、二人が飛行機の「コントロール」にスポットを当てたことだった。

空気の抵抗や反作用によってグライダーを浮かせることはできるものの、着地点は風しだい、強風で操縦不能になるようでは大空を自由に飛ぶことなどできない……。しかも、リリエンタールが行っていたような操縦者の体重移動だけでは揺れを制御することもむずかしい。

そこでウィルバーとオーヴィルは、飛行機を自由にコントロールできる機能、そして操縦する訓練が必要だと考えたのだ。そこで、ライト兄弟が編み出したコントロール機能は、ねじり翼だった。

現代の飛行機は、左右の翼に取りつけられている上下に可動する補助翼（エルロン）で旋回を可能にしている。

左右の翼に取りつけられたエルロンは、片方を上向きになるよう操作した時、もう一方は下向きに操作する。すると、上向いたエンロンのまわりには下向きの揚力が発生し、もう片方には上向きの揚力が発生する。このように空気の流れを変えることによって機体を傾かせることができる。

このエルロンと同じ動きをライト兄弟は翼をねじることで実現させた。これを後方に取りつけた方向舵と連動させることにより、横揺れを回避できるようにしたのだ。また、機体の前方に昇降舵を取りつけたことで、縦揺れもコントロールできるようになった。

●エンジンもプロペラも自作

さらに、飛行機を推進させるためにはエンジンとプロペラが必要だ。彼らは自分たちの飛行機に乗せることが可能なエンジンは重量90キログラム以下、8馬力であることをはじき出した。

しかし、エンジンの製作を10社に打診したものの引き受け手はなく、兄弟の自転車店で働いていたチャーリー・テイラーの協力のもと自作することにした。できあがったエンジンの性能は完璧に条件を満たしており、あとはプロペラを取りつければ完成というところまでこぎつけたのだが……。

「だめだ、スクリューのデータがない」

プロペラについては船のスクリューを応用しようと考えていた二人は、そのデータがどこにもないことを知り、一から実験してデータを集めることになった。

●37メートル、12秒

１９０５年、ライト兄弟の地元であるオハイオ州デイトンの空を動力飛行機が悠々と飛ぶ姿があった。リリエンタールの事故を機に飛行機の開発をスタートしてから8年、ライト兄弟は無風という条件下でも30分以上の飛行が可能な飛行機を完成させていたのだ。

だが、さかのぼること3年前、動力飛行機の初フライトは二人にとって少し苦い経験となったはずだ。１９０２年12月14日、ノースカロライナ州キティホークの砂浜には、世界初の動力飛行機「フライヤーⅠ」が初フライトのときを待っていた。コイントスでこの歴史的な操縦の権利を得たのは、兄のウィルバーだった。

しかし、その機体は浮きあがってからわずか2秒ほどで砂浜に落下してしまった。機首を上げすぎたことが原因だった。

それから3日後の12月17日、機体は再びキティホークの砂浜にあった。今度は弟のオーヴィルが操縦桿を握った。エンジンが始動、動き出す機体、そして離陸…。37メートルを12秒間ではあったが、フライヤーⅠはみごとに空を飛んでみせたのだった。

「コンピュータ」の誕生で花開いた開発者たちの夢

●バベッジの挑戦

コンピュータの機能がコンパクトに収められたスマートフォンは、現代人にとってなくてはならない存在だ。現在、スマートフォンは世界中で1年間に約15億台が売れているという。

世界の約半分の人がカバンやポケットに常時インターネットにつながった〝コンピュータ〟を忍ばせていて、メッセージを送り合ったり、今得たばかりの情報を投稿したり、動画を見たりしている。そんな世界をかつてコンピュータ開発に携わった人々は、いったいどんな面持ちで草葉の陰から眺めているのだろうか。

SNSや写真、動画、ゲームなどふだん何気なく使っているスマホアプリは、プログラミングの知識がなければブラックボックスのように思えるが、これらは電卓と同じ動きをしていて、それがとてつもなく複雑に進化しているに過ぎない。

操作する人がキーなどの入力装置で情報を与え、その命令に従って情報を処理し、アルゴリズムから導き出した答えをディスプレイに出力している。基本は電卓となんら変わらないのだ。

「人間が計算するとなぜこうもミスが多いのだ。法則に従って機械に計算させれば正確に、より速く答えが出せるのではないか」

最初に機械に計算させることを考えたのは、19世紀のイギリスの数学者チャールズ・バベッジだった。

●人による計算間違いに頭を悩ませる

19世紀といえば、イギリスで起こった産業革命による工業化が社会に大きな変化をもたらしていた。機械によって大量にモノが生産され、それを外国に売って利益を得ようと海運が盛んになった。

安全に航海するためには天文学や統計学などからはじき出された対数表が必要だったが、これを人間が計算して作成すると必ずミスが出てしまう。しかもミスがかなり多く、遭難する船が後を絶たなかったという。

そこでバベッジは考えた。

「機械なら、人間よりも正確であるにちがいない」

こうして1822年、対数表を計算させて計算結果を同時に印刷できる「階差機関」の製作に着手した。

バベッジが開発しようとした階差機関は、歯車を回して加減算を行うという17世紀のフランスの科学者パスカルのアイデアを自動化させようとしたものだった。これを使えば、複雑な計算も単純な操作の繰り返しで答えが出せる。現代のコンピュータの基本となる考え方はここで生まれたのである。

その後、さらに多くの用途に対応する階差機関も考案されたが、当時の技術では必要な部品を開発できず、設計図を残したまま計画はとん挫してしまう。

●戦争で実用化が進む

世界をあっと驚かせた発明品はひとりの発明家によるたゆまぬ研究から生み出されていることが多い。

だがコンピュータの場合は、パスカルやバベッジをはじめとする多くの科学者や数学者がそのしくみや原理を考案し、それを後世の人たちが形にして発展させてきた。バトンをつなぎながら生み出されてきた発明品だといえる。

人々がコンピュータに期待したのはただひとつ、複雑な計算の答えを正確に、しかも瞬時に導き出してくれることだ。

１９３６年、イギリスの数学者アラン・チューリングが23歳のときに「計算可能数について」という論文を発表し、そのなかでチューリングマシンという計算モデルを提示した。

「人間が頭脳を使って行っている計算を機械にさせたらどうなるのか」という発想のもと、アルゴリズムを実行するマシンの原理について論じたのだ。

チューリングマシンは操作する人がデータを与えて動かせば、永遠に計算ができるというコンピュータの原理だったのだが、コンピュータはあくまでもチューリングの頭の中に描かれた仮想の機械であり理論であって、実物があったわけではなかった。

だが、チューリングマシンの影響を受けたコンピュータの実用化は速かった。１９４３年には世界初の電子計算機「コロッサスⅠ」としてイギリスで産声を上げたのだ。

ただし、その存在は世の中にはひた隠しにされていた。ときは第二次世界大戦の真っ只中、コロッサスⅠに与えられた使命はドイツの暗号解析だったからだ。ドイツの暗号生成機によって暗号化されたデータのパターンを解読し、タイプライターで出力するのがコロッサスⅠの仕事だった。

●英米同時期に電子コンピュータが登場

イギリスでコロッサスⅠが開発、実用化されたのと同じころ、アメリカではさらに強力な電子コンピュータが登場しようとしていた。

砲弾をより正確に命中させることを目的に、その飛び方や軌道を計算するために開発された「エアニック」だ。アメリカ軍では、原子爆弾を開発するマンハッタン計画と同時に、コンピュータの開発が進められていたのだ。

ところで、イギリスとアメリカで同時期にコンピュータが発展したのには、ある発明が関係していた。20世紀の初め、電子流をコントロールできる真空管という電子部品が発明され、それによって一気に開発が進んだのだ。

エアニックが完成したのは1945年末、第二次世界大戦はすでに終結していたが、コンピュータはここから急速に発展していった。

エアニックを設計・開発したのはペンシルベニア大学講師の物理学者ジョン・モークリーと電気工学者のジョン・エッカートで、彼らのコンピュータが画期的だったのは、計算処理するデータやプログラムをあらかじめメモリに読み込んでおくことができる「プログラム内蔵方式」だったことだ。それまではパンチカードでデータ入力や処理を行うのが主流だったのだ。

彼らが着想し、現代のパソコンの原型となった画期的なこの方式は「ノイマン型コンピュータ」と呼ばれ後世に伝わっている。

なぜ〝ノイマン型〟なのか。それはモークリーらが着想したプログラム内蔵方式に理論的裏づけして論文を発表したのが、マンハッタン計画にも顧問として参加していたジョン・フォン・ノイマンだったからだ。

ノイマンはコンサルタントとして二人のコンピュータ開発に後から参画したのだが、この論文が世に出たことによってノイマンの名前が後世に残ることになった。

宇宙の謎に挑む「アルマ望遠鏡」が、国際協力で実現するまで

●人類の飽くなき好奇心

我々が宇宙の姿を見るには天体望遠鏡に頼るしかないが、一般的な光学望遠鏡は人間の目と同じように物体が放つ光をとらえる。すなわちこれで宇宙をのぞいて見えるのは、星や銀河など宇宙のなかでも温度が高く強い光を放っているものだ。

だが、星の成り立ちにかかわる星間物質は温度が低く光を放たないため、光学望遠鏡では見ることができない。

では、星間物質からは何もキャッチできないのかといえばそうでもない。光の代わりに電波が放たれている。この「電波をとらえる望遠鏡」こそ、研究者たちの長年の夢だったのだ。

とはいえ、コトはそう簡単ではない。電波望遠鏡の最大の弱点は解像度が低いことにある。

1982年、国立天文台は長野県の野辺山(のべやま)高原に巨大な電波望遠鏡を完成させたが、それでも天体はぼんやりとしかキャッチできない。そこで、複数のアンテナを組み合わせて、その弱点である視力を補完した「ミリ波干渉計」が開発されたのだ。

この干渉計で得られた一定の成果は、研究者たちをおおいに刺激した。彼らが「次はより高度なものを作ろう!」と意気込んだのは当然のなりゆきだろう。その結果「ミリ波よりも波長が短いサブミリ波をとらえる」という大きなテーマが掲げられたのである。

●日米欧で理想形をつくる

このとき、大型望遠鏡の計画を進めていたのは日本だけではなかった。アメリカとヨーロッパもほぼ同じタイミングでコンセプトを固めていた。

国家がかかわる計画ではあるものの、そこは次世代を見据えたビッグプロジェクトである。各国とも計画を秘密裏に進めていたわけではなく、むしろ研究者同士が国を超えて知恵を出し合っていた。

もちろん、多少の牽制や探り合いもあったが、情報交換を進めていくうちに、やがてひとつの結論がもたらされる。

「同じような計画を3チーム別々に進めるより、それぞれの技術や予算を出し合って、理想をかなえる望遠鏡を作ってはどうか？」

東京で日米欧による「共同決議書」が交わされたのは2001年のことだ。日本は予算の承認が遅れ、その額も思いのほか少なかったため、計画は欧米主導でスタートした。

●非業の死を遂げた研究者

日本は望遠鏡の中心に位置するパラボラアンテナの開発という難度の高い役割を担うことになり、そこで活躍したのは日本の町工場だった。未知なる宇宙の姿を観測するという地球規模のプロジェクトの重要パーツが、中小企業の職人たちの手によって生み出されるという、まさに「モノづくりニッポン」の面目躍如である。

その結果、口径12メートルのアンテナ4台と、口径7メートルのアンテナ12台が納められた。

ちなみに、このアンテナ群と受信機、相関機から成るシステムは「モリタアレイ」と名づけられているが、これは元国立天文台教授の森田耕一郎氏に由来したものである。

森田氏は、野辺山のミリ波干渉計の開発にも加わった世界的な研究者である。国際協力で実現した電波望遠鏡「アルマ望遠鏡」の計画にも参加し、アンテナ配列の設計など重大な役割を担うチームのリーダー的存在だったが、初観測を目前にチリの自宅前で強盗事件に巻き込まれ非業の死を遂げている。

「その業績をたたえ、システム名にモリタの名を刻む」

この案に反対した者はいなかった。

●多くの成果が続々と

ところでアルマ望遠鏡が設置されたのは、南米チリ共和国の北部に位置するアタカマである。

サブミリ波はミリ波以上に大気中の水蒸気の影響を受ける。研究者たちがずっと探し続けた「もっとも乾燥して、もっとも宇宙に近い場所」、それは1年を通して安定した気候とクリアな大気を持つこの場所しかなかった。

２０１３年のスタートからほぼ10年を迎えた現在、アルマ望遠鏡は、日本をはじめとする東アジア、アメリカとカナダの北米、ヨーロッパ南天天文台を構成する複数の国々、そして建設地のチリ共和国の協力で運用されている。

アンテナは全部で66台。これが最大で直径16キロメートルの範囲に点在しており、その解像度は人間の視力に置き換えれば「視力６０００」という数字になる。

これまでアルマ望遠鏡は数多くの成果をあげてきた。大きな話題となったおうし座ＨＬ星のまわりの原始惑星にはじまり、１３０億年以上昔の銀河、天の川銀河中心のブラックホールなど、これまでは目にすることができなかったものが、鮮明な画像とともに次々と発表された。

そして、もちろん今も進行形で新たな宇宙の姿をとらえ続けている。

日本の「テレビの父」の信念を支えた〝確信に満ちたアイデア〟

●電子式テレビジョンの夢

戦後日本で三種の神器といえば、洗濯機、冷蔵庫、そして白黒テレビだ。この3つの電化製品は宝物にたとえられるほど、庶民の夢のアイテムだったが、なかでも「動いている画像を遠く離れた場所で見られるもの」すなわち「テレビジョン」は、長い間、研究者たちの夢でもあった。

テレビジョンの原理や部分的なパーツは18世紀から少しずつ出現していたものの、現代型のテレビにつながる発明は20世紀に入ってからである。

そこにはひとりの日本人の存在がある。浜松高等工業学校（現・静岡大学工学部）の高柳健次郎だ。

高柳健次郎は1899（明治32）年に静岡県に生まれた。学生時代から物理学に興味を持っていたが、あるときふと立ち読みしたフランスの専門誌に描かれた、

「未来のテレビジョン」というポンチ絵に心を突き動かされる。

「声が送れるなら映像も送ることができるはずだ！」

イギリスでは、技術者のベアードがニポーという回転円板を使った機械式のテレビを開発している。だが、これは近代のテレビとはしくみが異なる。高柳はより鮮明な画像を映し出す「電子式のテレビジョン」に挑もうとしたのだ。

●挑戦を支えた言葉

ラジオ放送も一般的ではなかった当時、傍から見れば無謀な挑戦ではあったが、高柳を突き動かしたのは、初代の東京工業大学学長で工学博士の中村幸之助氏のこんな言葉である。

「いま流行っていることをやるな。10年後20年後、日本になくてはならない技術を見出して、コツコツ勉強しなさい。20年後の未来に世の中がほしいと思うものを開発しなさい」

28歳で浜松高等工業学校の助教授の職を得た高柳は、着任早々、こんなことを言って校長の関口壮吉氏を驚かせた。

「浜松にいながら、東京でやっている歌舞伎を見ることができる。そんな無線遠視法の開発をやらせてくれませんか」

新任教師の突拍子もない要望を誰が許可しようかと思いきや、驚くことに関口氏は理解を示し、予算の確保も約束してくれた。高柳にとっては力強い味方を得た思いだったろう。

だが、残念ながら関口氏はほどなくして急死してしまい、予算の話もご破算になってしまうのである。

それでもあきらめなかった高柳は、東京に出向き、自ら株式会社芝浦製作所（現在の株式会社東芝）に交渉し、実験の協力を取りつけた。

その執念の裏側には、確信に満ちたアイデアがあった。

「ブラウン管を受像機として使えばきっとうまくいく」

ブラウン管はすでにドイツの発明家であるブラウンによって誕生していた。そして、その道を信じて研究を進めた結果、1926（大正15）年、雲母板に墨で書いた「イ」の文字の映像を機械式の円形撮像装置で読み取って、電子式のブラウン管に送り、映像を映し出すことに成功した。これこそがブラウン管テレビの原型である。

●夢をかなえた瞬間

だが、このときのテレビは機械式と電子式の併用で、画像の精度もいまひとつだった。画面を構成する電気信号の線（走査線）が少なかったからである。

同時期、同じように電子式テレビジョンの発明に挑戦していたのが、ロシア人技術者のツヴォルキンだ。高柳はツヴォルキンが開発したアイコノスコープ（撮像管）を手本にオリジナルを自作し、240本の走査線を持つ全電子式テレビジョンを完成させたのだ。

本来は東京オリンピックで大活躍する予定だったが、戦争が勃発。戦況の悪化でテレビジョンの開発もすべて中止となってしまった。再開できたのは終戦から1年後、日本ビクターに入社してからである。

そこから試行錯誤は続き、1953（昭和28）年、ついにNHKのテレビ放送がスタートした。放映された画面に映し出されていたのは、まさに歌舞伎だった。高柳が最初に抱いた夢が、とうとうかなったのである。

●チームで目標を共有する

ところで、高柳はよく「チーム研究」という言葉を口にした。これには、アイコノスコープを開発したツヴォルキンの研究室をたずねたときに、大勢の研究者がチームを組んで目標を共有するスタイルに刺激を受け、自らも取り入れたという経緯がある。

日本における「テレビの父」となった高柳はその後もビデオなどの開発に尽力し、テレビ産業発展のリーダーとして世界の放送分野の進化にも大きく貢献した。

その後、ブラウン管型テレビはその姿を変えてしまったが、高柳とともに開発に取り組んだ技術者や、その教え子たちに根づいた開拓精神は、今もどこかで生かされているに違いない。

Chapter 2

世紀の「発明」「発見」の〝現場〟で何が起きていたのか

「顕微鏡」を発明した織物商・レーウェンフックの〝小さな世界〟

●270倍の高倍率

生涯で40点に満たない作品しか残されていないにもかかわらず、熱烈なファンが多いのが17世紀の画家ヨハネス・フェルメールだ。「真珠の耳飾りの少女」に代表されるように、光と影を巧妙に操る彼の絵は、たった1枚で数万人の観客を呼べる力がある。

フェルメールが描いた人物画の中に「地理学者」と「天文学者」という男性を描いた作品がある。この絵のモデルこそが、フェルメールと同時代で、同郷の細胞生物学、微生物学の父と呼ばれるレーウェンフックであるという説がある。

レーウェンフックは1632年にオランダのデルフトで生まれ、織物業者として生計を立てていた。彼は趣味が高じて作った自作の顕微鏡で、史上初めて「赤血球」や「細菌」を発見したのである。

好奇心旺盛だったレーウェンフックは、家業の傍ら完全な趣味としてレンズ磨きの腕を上げていた。そして、270倍もの高倍率の顕微鏡を作ったのである。これは当時としては世界最高の倍率で、学者でもない一介の生地職人が趣味で完成させたとは思えない出来映えだった。

「(雨水の中に)無数の小さなウナギかミミズのようなものが寄り集まってうごめき、まるで水全体が生きているようだった」

レーウェンフックは、自作の顕微鏡で見たものをまとめた詳細な観察記録をつけている。たとえば、細菌が雨水の中でうごめく姿を「これほど美しい光景を、私はかつて見たことがない」といきいきと表現しているのだ。

また、原生生物の仲間を発見して、「馬のように突き出た2本の角を絶えず動かして、体には尾がついている」と説明した。

●顕微鏡を自作したレーウェンフック

レーウェンフックの発見は歴史的なものだったが、その技術の礎は16世紀末、同じくオランダのヤンセン父子によって開発された。

眼鏡職人だったヤンセン父子は、円筒の両端に凸レンズを取りつけた。倍率は10倍にも満たなかったため、虫眼鏡程度の拡大率に過ぎない。それでも「凸レンズの組み合わせで大きく見せる」というしくみを作ったことは間違いない。

このヤンセン父子の顕微鏡の改良によって、まず科学的な成果を上げたのがイギリスの王立協会に所属していた物理学者ロバート・フックだ。ヤンセン父子の顕微鏡は単式顕微鏡だったが、フックはその原理を応用して倍率150倍程度の複式顕微鏡を作り上げた。

そして、のみやしらみなどの小さな生物や、コルクの断面に開いた小孔などを詳細に観察した図版を作成し、1665年に「ミクログラフィア」という出版物を出して高く評価された。

レーウェンフックが顕微鏡の自作に取りかかったのは1670年ごろだという。フックとは違い、ヤンセン父子の顕微鏡と同じ単式の顕微鏡だ。

直径1ミリメートルほどの凸レンズとピント合わせ用のねじを組み合わせて、倍率を270倍にもあげることができた。シンプルな構造にもかかわらず、専門教育を受けた物理学者フックが作った顕微鏡をはるかにしのいでいる。

レーウェンフックは、その顕微鏡で観察と発見を繰り返し、その詳細を記録した報告書を王立協会に送り続けた。協会員だったフックは、レーウェンフックの業績を高く評価して、協会の特別会員に推挙している。そして、彼の報告は機関誌に掲載されたのである。

●まるで唾液が生きているかのよう

協会のなかでもレーウェンフックの報告を重視する者もいれば、単なるアマチュアの戯言だと言う人もいた。それでもレーウェンフックは顕微鏡を観察し続けた。

その後も、赤血球やボルボックス（水中バクテリア）、人や犬の精子、酵母など、現代の生命科学の基礎となる発見をし続けた。

なかでも評価されているのが、細菌の発見だ。レーウェンフックは、自身の歯垢を観察し、その中に小さな生き物が動いているのを発見している。

「大小の小さな微小生物がせわしなく動いていた。なかでも大きなものはカワマスが水の中を突っ切って泳ぐように力強く俊敏な動きを見せ、ひと回り小さなものは数も多く、くるくると円を描いていた」

彼は日頃から歯みがきをする習慣があったので、これについてたいへん驚いたという。そして、歯みがきの習慣がない人たちからサンプルをもらって観察すると、さらに多くの微小生物が観察できて、「まるで唾液が生きているようだった」と記している。これこそが、史上初めて口内細菌を観察した記録なのである。

●好奇心や観察意欲に支えられた発見

レーウェンフックの発明は、どれも重要で革新的であり、その後の科学の流れを大きく変えるものだった。にもかかわらず、彼の存在は驚くほど目立たない。レーウェンフックが自作した単式顕微鏡は、ピントの合わせづらさなどから制作者である彼でなければ使いこなせなかった。つまり、再現性がなかったのだ。

18世紀末ごろになってレンズの素材の開発によって性能が向上し、複式顕微鏡が実用化した。それ以降は倍率もどんどん上がり、レーウェンフックが見た小さな世界のさらにその先を観察できるようになっていったのである。

「眼鏡」誕生の画期性は、どこにあったのか

●太陽光を集めるための装置

眼鏡は日本人にとってもっとも身近な医療器具のひとつだ。近視や乱視、老眼、視力矯正用など用途もさまざまで、見た目もおしゃれな眼鏡が安価に手に入る。

眼鏡がいつ、誰によって発明されたのかはわかっていないが、もっとも重要なパーツであるレンズの歴史は紀元前までさかのぼることができる。

多くの説がアッシリア帝国の都市ニネヴェで発見されたものを世界最古のレンズとしている。

研磨された水晶の凸レンズは、ものを見るためではなく、太陽光を集めるための装置として使われていたようだ。古代ローマや中国、エジプトなどでも水晶やガラスを使ったレンズについての記述が残っている。

悪名高いローマ皇帝ネロが、「エメラルドでできたレンズを用いてコロッセオで

剣闘士の戦いを観ていた」という将軍プリニウスによる記録もあるが、それは「見る」ためのものではなかったと考えられる。なぜなら、当時のレンズは凸レンズだったはずだからだ。

そのネロの家庭教師であり、ストア派の哲学者だったセネカは、年をとってものが見えにくくなったときに「水球儀」に文字を透かして読んだという。

丸く膨らんだ形のレンズ、つまり凸レンズは文字を拡大して見せる虫眼鏡のような働きをする。セネカの著書の中にも「水を満たした球形のグラスやガラスの器を通せばものがはっきり見える」という記述がある。

ネロが何歳のときにエメラルドのレンズを使っていたかは詳細は不明だが、たとえ視力が悪くても、凸レンズを通して遠くをはっきり見ることはできなかったのである。

緑色が美しい高価なエメラルドでできていたことを考えれば、サングラスのように使ったか、単に装飾として用いていた可能性もあるだろう。贅沢で享楽的、残虐という評価がつきまとうネロが、緑色の宝石越しに剣奴(けんそう)たちの殺し合いを眺めていたというのは、何とも悪趣味な光景に思える。

●光が目に入れば見ることができる

虫眼鏡によってものを拡大して見えることがわかっても、それを現在のような「遠くのものが見える」視力矯正器具として使うためには、人間がものを見るしくみを解明する必要があった。

それを成し遂げたのが、近代光学の父と呼ばれる11世紀のアラビアの学者アルハイサムだ。彼は著書の中で「物体が反射する光が目に入ることで、人間は『見る』ことができる」ということを説明している。カメラの原型「カメラ・オブスクラ」を発明したアルハイサムの理論はのちの科学者たちに大きな影響を与え、レンズの研究が進んだのである。

では、レンズを視力補助として使うようになったのはいつからかといえば、13世紀のヨーロッパでという説が有力だ。現在も美しいガラス細工の街として有名なイタリアのヴェネチアが発祥とされている。

最初はやはり虫眼鏡のような形の単眼鏡で、鼻にのせるのではなく、書物などに直接置いて使用していた。透明度の高い水晶や緑柱石を使ったレンズはたいへん高価で、聖職者や貴族といった特権階級だけが使えるものだったという。拡大鏡としての役割であれば、小さな文字を読む必要がある、つまり、識字能力がある人に需要が限られたことも一因だろう。

●活版印刷の普及で広まる

その後デザインが工夫され、単眼だけでなく両眼のものや、鼻にのせたり、柄を手で持って目に当てたりするものが登場した。それと同時に素材やデザインも豊富になり、特権階級や知識人たちの最先端のファッションになった。

当時の様子を描いた絵画などにも、着飾った貴婦人が凝ったデザインのグラスを顔に当てたり、正装した紳士が顔に単眼鏡を当てている様子が描かれている。

肝心の性能だが、凹レンズ、つまり近視用のレンズが開発されたのは15世紀の半ばになってからだ。このころになると眼鏡の需要が増大し、それに伴って研究開発が進められた結果、近視用のメガネが登場したのである。

眼鏡需要を爆発的に増加させたできごとは、活版印刷の普及だった。庶民たちの手にも印刷された聖書をはじめとした書物が行き渡るようになり、字を読む機会が増え、眼鏡をかける人が増えたのだ。

●鼻当てを発明した日本人

ちなみに、現在の日本で見かける眼鏡にある「鼻当て」は、当時の眼鏡にはついていなかった。というよりも、鼻当てを発明したのは日本人だといわれている。

室町時代にイエズス会の宣教師であるフランシスコ・ザビエルによって初めて日本に眼鏡が持ち込まれ、江戸時代になると日本での生産も始まった。

しかし、西洋人と違って鼻の低い日本人がかけるとずり落ちてしまって使いづらかった。そこで、鼻当てをつけて日本人の顔にフィットするように改良されたと聞けば、なるほどもっともだと聞こえるだろう。

人間の暮らしに革新的な進歩をもたらす技術というのは、単体でももちろんインパクトはあるのだが、結びついたときの威力にはすさまじいものがある。

歴史を辿って見てみると、よくぞここで結びついたと感心するような事象ではあるが、レンズと活版印刷という偉大な発明が、最高のタイミングで出会った結果、今日へと続く画期的な技術の進歩を生んだのである。

打った文字を印字する「タイプライター」が世界を変えた理由

●「筆記機械」の特許

一時話題になったのが、社会人となって企業で働くようになるまで、パソコンを使ったことがなかったという若者の存在だ。スマートフォンやタブレットはタッチ操作で入力するため、キーボードに触れたことがないというのだ。

ただ、ここ10年ほどで小学校からパソコンを使った授業が行われるようになってきた。「キーボードを知らない」新社会人はシステム上は少なくなるはずだ。

数十年前、ワープロがパソコンに取って代わられたが、それでも変わらなかったのがキーボードの操作方法である。初期のデスクトップ型のパソコンは、キーボードの打ち込み音も大きく、ワープロに慣れた人たちがカチャカチャと忙しく文字を打ち込んでいったのもありふれたオフィスの光景だ。

そもそもキーボードが誕生したのは、タイプライターの時代だ。インクリボンを使って打った文字を即座に印字できる画期的な製品だった。ワープロの登場で電子化される前は、オフィスで使うのはタイプライターであり、自宅に祖母や祖父が使っていたものがあるという人もいるだろう。

つい最近まで現役だった感があるタイプライターだが、その発祥は意外と古く、1714年にイギリスのヘンリー・ミルによって発明されたという説が有力だ。

とはいえ、ミルが発明した「タイプライター」は、実物はおろか図面も残されていない。唯一残っているのは、「筆記機械」の特許のみなのだ。これが実用可能なものだったのか検証することもできないため、実態はまるで不明といわざるをえないだろう。

●求められたスピードと簡便さ

タイプライターの定義を「文字を打ってその場で印字することができる」という点に絞れば、1829年にアメリカの発明家ウィリアム・オースチン・バートが発明した機械が挙げられる。バートの機械は、キーボードではなくダイヤルで文字を選んで印字することができ、その速度は手書きと同じくらいだったという。

しかし、バートの機械も特許を取ったもののそれを製品化してくれる企業は見つからず、実用化はされなかった。キーボード式でないことからも、現在のタイプライターのルーツといえるかどうかは議論が分かれている。

同様にしてタイプライターのようなものは、19世紀後半にかけていくつも発明されてはいるものの、どれも実用化にはいたっていない。

タイプライターに求められるのは、スピードと簡便さである。手書きよりもスピードがあり、扱いも簡単でなければ商業化には結びつかない。そこから長い時間をかけた紆余曲折が始まったのである。

●カーボン紙を重ねて印字

何をもって現在のタイプライターの原型とするかは諸説あるが、ここではキーボードに着目して見てみたい。

パソコンにも採用されているキーボードの多くは、「ＱＷＥＲＴＹ配列」と呼ばれる並べ方になっている。１８７４年に発売されたレミントン・アンド・サンズ社のタイプライターは、タイピングスピードの速さから一躍人気となり、会社はのちに年間2万台を製造する企業となった。

QWERTY配列とは、キーボードの英字部分の最上列が、左からQ・W・E・R・T・Yとなっているもののことである。この配列にすることが、キーボードの操作性を向上させ、手書きを凌駕するスピードを実現させたのである。

レミントン・アンド・サンズ社のタイプライターは、インクリボンではなくカーボン紙を重ねて印字するという点以外は、のちのタイプライターとほとんど変わらない性能を備えた。カーボン紙の枚数を増やして間に紙を複数挟むことで、同時に複数の書類を完成させることもできた。まさに画期的な製品だったのである。

●タイピストは女性の憧れの職業

優れた技術は社会の有り様を変えるというセオリー通り、タイプライターの普及も社会に大きな変化をもたらした。女性の社会進出である。

手書きよりスピードが上がり、文字の美しさも揃っているタイプライターは、口述筆記や清書にうってつけだった。専門のタイピストを養成する学校が誕生し、技術を身につけて職を得ようとする女性たちに人気となったのだ。

あくまでも補助的な仕事ではあったが、専門性が求められるタイピストは女性の憧れの職業のひとつになった。現在でも、女性に限らずキーボード操作の巧みさは、仕事の効率化を図るうえでも重要なスキルのひとつだ。

多くの発明家たちが試行錯誤を繰り返し、少しずつ進化してきたタイプライターは、さらに技術が進んでコンピュータの時代になっても、キーボードという形でその姿をとどめている。

タイプライター自体もいまだにアンティークショップなどでは高値で取引され、そのレトロな姿に魅かれる若い世代も多いという。

技術革新の末に姿を消してしまう発明品も多いなかで、シンプルにして究極の効率化を求めたキーボードが残り続けていることは、タイプライターがたどり着いたのが唯一無二の形だったことを証明しているのかもしれない。

ナポレオン・ボナパルトと「缶詰」の〝進化〟をめぐる歴史

●戦地での食糧調達

「腹が減っては戦はできぬ」は日本人なら誰でも知っているだろうが、西洋にも「軍隊の進軍は腹しだい」という似たような意味の言葉がある。洋の東西を問わず、戦争には栄養満点で美味な食糧が不可欠なのである。

しかし、武器や弾薬を持って長距離を移動することが多い戦場において、食糧を確保することは至難の業だ。

人間の歴史は戦争の歴史でもあるといわれるが、いつの時代のどんな戦場においても、いかにして兵士たちの腹を満たすかという問題がつきまとう。それはそのまま兵士の士気にもつながり、戦争の勝敗を左右する大きな課題である。

18世紀末、ひとりの英雄がこの問題に真剣に取り組んだ。かのナポレオン・ボナパルトである。

彼は自国の領土拡大のために周辺諸国への侵略戦争を繰り返したが、戦場ではいつも兵士たちの不満が渦巻いていた。食糧問題だ。軍隊は常時150万人分の牛肉のワイン煮を輸送したといわれるが、保存状態は劣悪そのものだった。

「昨日の食事は腐っていて、とてもじゃないが食えたもんじゃなかった」

「戦場なんてうんざりだ。家に帰って美味いものを腹いっぱい食いたいよ！」

●懸賞つきのアイデア募集

兵士たちは貧弱で味気ない食生活に飽き飽きしていた。実際、戦死者よりも餓えや壊血病（かいけつびょう）による死者のほうが多かったし、深刻な栄養不足を引き起こしていた。とくにビタミンが絶対的に足りなかったので、脚気の流行は兵士らを不安のどん底に陥れた。

「これでは戦争に勝てるはずがない」と、ナポレオンは兵士たちの食糧問題を大至急解決しなければならないと考えたが、そのための決定的なアイデアが浮かばない。意外と内気で読書家だったのでさまざまな見識はあったものの、しかしそんな彼にも食糧問題を解決する抜本的な方法は見当たらなかった。

野心家であり激情家でもあったナポレオンは、ついに斬新なアイデアを広く世間に求めることを思いつく。あるとき彼は部下にこう命じた。

「こうなったら国中からよいアイデアを募集せよ。栄養に富み、味もよく、しかも戦場で長期間の保存がきく食糧を作り出せる者はいないか。懸賞をつけて募るのだ」

それは前代未聞の呼びかけだった。いくら皇帝の呼びかけとはいえ、そんな都合のいいものが作れるだろうか。部下たちは半信半疑だった。

しかしナポレオンの狙いは的中した。1804年、その期待に応える人物が現れたのである。それはニコラ・アペールという菓子職人だった。

●「瓶詰」から「缶詰」へ

「私の頭脳と職人ワザをもってすれば、陛下の期待にそえるはずだ」

上流階級に仕える一流の料理人から菓子職人へ転じた異色の人物であるアペールは、自信に満ちた人物だった。菓子づくりの技術であるフルーツを酒に浸して長期保存する方法や、湯煎鍋の使い方を応用することで食べ物の長期保存が可能だと考え、ナポレオンに披露した。

といっても、最初から現在のような缶詰がつくられたわけではない。アペールが最初に提案したのは、缶詰ではなくて瓶詰だった。

「真空詰めした食物は殺菌加熱すれば長く保存できる。加熱には、多大な殺菌効果が期待できる。加熱こそが戦場での食糧問題解決の突破口だ！」と考えたアペールは、調理した食品を瓶に詰めてコルク栓をして、沸騰した湯の中で30〜60分加熱した。これこそが、のちの缶詰の基本原理となったのである。

アペールの瓶詰の食糧は戦場でおおいに力を発揮し、その結果、病気が激減し、兵士の士気も上がってナポレオンの進軍をおおいに支えることになった。喜んだナポレオンはアペールに懸賞金として、1万2000フランという大金（当時の給与の1年分）を与えている。

ただし、アペールのアイデアには大きな欠点があった。ガラスの瓶は壊れやすい。戦場で長距離を移動する間に割れてしまうことが多かった。アイデアはよかったのだが、大きな問題が取り残されていたのである。

●ハンマーとノミで開ける

その問題は、やがてある人物の登場によって解決する。1810年のことである。

「ガラスの瓶がダメなら、ブリキ缶にすればいいじゃないか」。このアイデアを出したのはイギリス人のピーター・デュランという人物だ。ここにようやく金属の容器に食糧を保存する缶詰の形が誕生するのである。

このブリキの缶詰は、瓶詰以上に戦場で重宝された。ところが、この方法だと中身が発酵して膨らんでいき、やがて缶ごと破裂するという欠点があった。

「また缶詰が破裂しやがった」

「敵の大砲の音よりも、こっちの音のほうが心臓に悪いや」

連日、食糧庫では多くの缶詰が爆発事故を起こし、兵士たちを失望させていた。

その後、1812年にイギリスで世界初の缶詰工場が作られて軍隊への納入も始まったが、缶をひとつひとつハンダづけをして蓋を閉じていたので、一個作るのにも大変な手間がかかった。一日に数十個しか完成させることができず、大量生産にはほど遠かった。

しかも、缶詰を開けるときにはハンマーとノミを使う必要があり、それだけでも重労働になった。今でこそ缶詰は簡単に開いてすぐに食べられる手軽さがひとつの価値になっているが、当時はそんな手軽さとはかけ離れたものだった。

それでも、缶詰は着実に普及していく。1821年、缶詰はついに大西洋を越えてアメリカに広がり、本格的な生産が始まった。

さらに1861年に南北戦争が始まると、軍用食糧として一気に需要が増えていった。広大なアメリカ大陸には缶詰の原料になるような食材が豊富だったこともあり、缶詰は一気に人々の生活に浸透していくのである。

ちなみに、1805年に世界で最初の冷凍機のアイデアが発表されたが、まだ食糧を冷やして保存することが一般的になるまでには遠く、アメリカで世界初の電気による冷蔵庫が発売されて普及するのは、1918年以降のことである。

つまり、それ以前には食糧の長期保存ができる缶詰は大いに歓迎されたのだ。

●大西洋をまたいだ「缶詰」

ところで、缶詰にはもうひとつ問題が残されていた。前述したようにピーター・

デュランのブリキ缶の缶詰は開けるのに手間と時間がかかるというものだ。

それもやがて解決する。1858年、アメリカのエズラ・J・ワーナーが、初めて引き回して開く形の缶切りを発明したのだ。

フランスで瓶詰として発明され、イギリスで金属の缶詰になり、アメリカで缶切りが誕生する。まさに缶詰は、大西洋をはさんだ多くの国々のアイデアの総合的産物なのである。

ナポレオンが戦争に勝利するためにアイデアを募集して生まれた缶詰が、南北戦争によって急速に人々の生活に浸透した経緯を考えれば、缶詰とは、いわば戦争の申し子、戦争という悲劇が生んだ副産物だともいえるかもしれない。

ちなみに、日本に初めて缶詰の製法が伝えられたのは1871年のことだ。長崎県で松田雅典がいわしの油漬けの缶詰を作ったのが第一号といわれ、その6年後に、初めてサケを原料とする缶詰工場が北海道で誕生している。

その「北海道開拓使石狩缶詰所」で作られた缶詰は、やがて始まる日清戦争で採用され、日本兵の腹を満たし、戦争を勝利へと導く。ここでもやはり缶詰は戦場でその威力を発揮したわけだ。

「蓄音機」が、音の歴史に起こした革命

机の上には、水平の円筒の両側に針のついた2枚の振動板がつけられている、それまで誰も見たことのない装置だった。いったい何が始まるのだろうかと人々はじっと見守った。

●初めての曲は『メリーさんの羊』

緊張と静寂のなか、エジソンは、その円筒にスズ箔を慎重に巻いた。そして、その一方に振動板の針を下ろし、それからレバーで円筒を回しながら、送話口から振動板に向かって童謡『メリーさんの羊』を歌ったのである。

それでも人々は、何が起こっているのかわからない。キョトンとする人々の視線を浴びながら、歌い終わったエジソンは円筒を開始点まで巻き戻した。そして今度は、もう一方の針をスズ箔に刻まれた溝へ置き、あらためてレバーを回し始めた。

するとそのとき、信じられないことが起こった。さっきエジソンが歌った『メリ

ーさんの羊』が、そっくりそのまま、その装置から聴こえてきたのだ。人々は心底驚いた。エジソンの才能にあらためて感心した瞬間である。

しかし、この実験の成功に誰よりも驚いたのは、エジソン自身だったともいわれる。のちに彼はこの実験の時のことを「あれほど面食らった経験はない」と述懐している。裏を返せば、その発明はそれほどまでにむずかしかったのである。

1877年12月6日。それはエジソンが発明した蓄音機が、人々に知れ渡った記念すべき日のできごとだった。彼が生み出した白熱電球や映写機は時代を大きく変えたが、蓄音機もまた人々の生活に多大な影響を与えた偉大な発明だったのである。

●忘れられたエジソンの蓄音機

とはいえ、エジソンにとって蓄音機の発明はかなり困難だった。蓄音機を作ること自体もむずかしかったが、それだけではない。子供のころから負けず嫌いで、ライバルには絶対に勝ちたいという信念を持つ彼にとってそれは熾烈な競争だった。

実は、録音するだけであれば、1857年にすでに録音装置が発明されていた。

フランスのマルタンヴィルという人物が作り出したのだが、しかしそれはあくまでも録音するための機械であり、再生はできなかった。

音や声を録音して、それをその後好きなときに再生できる機械は、エジソンが最初だったのである。これだけ聞くと、「蓄音機の発明者はエジソンである」と文句なしにいえそうだが、話はそう単純ではない。

「発明家エジソン、ついに蓄音機を完成した。なんと、話す機械である!」

マスコミはこの歴史的偉業を取り上げて、蓄音機を大いに宣伝した。間違いなく大評判となり、すでに有名だったエジソンの名前はますます尊敬を集めるはずだった。

しかし、そううまくはいかなかった。エジソンのアイデアは、中空で金属の筒にスズ箔を巻きつけてそれを回転させ、音による空気の振動をその筒に刻んで記録し、そうやってできる表面の凹凸を針先で拾って再生するというものだった。これは「スズ箔式フォノグラフ」と呼ばれ、その原理はのちのレコードに受け継がれることになる。

しかしエジソンの段階では音があまりにも悪くて聞き取りにくく、しかもスズがあまりにも高価なので、とても実用的ではなかった。

1878年にはエジソン・スピーキング・フォノグラフ社という会社も設立したが、しかし性能が悪すぎて、人々はすぐに興味を失ってしまう。

これでは実用には無理だし、せいぜい珍しい玩具でしかないというのが世間の評価だったのだ。

「まあ、いいだろう、蓄音機よりも白熱電球のほうが将来性もあるし、そっちに力を傾けることにしよう」

そう考えたエジソンは、自分は蓄音機の発明を成し遂げたのだと満足し、ほかの発明へと興味が移ってしまった。

●ライバルに敗北したエジソン

ところが、その間、別のところで蓄音機の開発は進んでいた。1887年にエミール・ベルリナーが、亜鉛円盤に横揺れの溝を刻む蓄音機を開発して円盤式蓄音機を生み出したのだ。

アメリカの発明家エミール・ベルリナーは、ベルの会社で技師として働く傍ら蓄音機開発において生涯にわたってエジソンと競った。このベルリナーはもともとエジソンのライバルであり、常に競争心を燃やす関係だったのだ。

1851年にドイツで生まれたエミール・ベルリナーは、1870年に両親とともにアメリカに移住し、電気技術者としての腕を磨いた。

そのころベルの電話機は最終的な研究段階に入っていたが、発明の一部がエジソンの特許に触れる可能性があり、大きな壁にぶつかっていた。そこへ新しいアイデアとともに乗り込んだのがベルリナーだった。

ベルは彼を技術者として迎え入れた。そして彼のアイデアのおかげでエジソンとの電話機における特許争いに勝利したのである。

負けず嫌いのエジソンにとって、それはくやしい黒星だった。なんとかして巻き返しをはかろうとして取り組んだのが蓄音機だった。そして1877年の実験により、エジソンは挽回したつもりだったのだ。しかし、実際はそうではなかった。

●ベルリナーの蓄音機の躍進

ベルの会社で働いていたベルリナーたちのチームは、エジソンに対抗すべく蓄音機の実用化に向けて研究を重ねた。彼らは録音と再生の針を別にすることで精度を高めたり、スズ箔ではなくてワックスを塗ってみたり、音声が鮮明に聴き取れるようにゴムを使ったりして、蓄音機の性能を高めていった。

その結果、1885年、完全に実用に徹した「グラフォフォン」を誕生させた。それは実用性のないエジソンの蓄音機と違って、はるかに実用的なものだった。ベルリナーは、その後も蓄音機の開発を続けている。

1887年には円盤式蓄音機「グラモフォン」を作ったが、これはのちのレコードプレーヤーの原型である。針の振動を横振動に変換してディスク（円盤）に刻む方法を考え出し、さらに原盤から大量かつ安価に再生専用の円盤を作る方式も考えた。

つまり、レコードプレーヤーにレコードを乗せて音を聴くというスタイルを考案したのである。ベルリナーのグラモフォンはやがて企業化されて、「ビクター」へとつながっていくのである。

胃の中を映す「胃カメラ」という発想の原点にあったもの

●大道芸人の胃の中をのぞいてみた

「生きた人間の体の中をのぞいてみたい」

最初にそう考えたのが誰なのかは知る由もないが、生きた人間の体の内部を見ようとする人は古くから存在した。古代ローマのポンペイ遺跡からは内視鏡の原型とみられる医療器具が出土している。

それから2000年が下り、19世紀にドイツの医師アドルフ・クスマウルが長さ47センチメートル、直径13ミリメートルのまっすぐな筒の中に多数の小さな鏡を配置した金属管「胃鏡(いきょう)」を発明した。

これを飲み込んで、先端が胃まで達したところで管をのぞき込む。こうしてクスマウルは世界で初めて生きた人間の胃の中を見ることに成功したのだ。

ただし、硬い金属管をスルスルと飲み込める人などそうはいない。クスマウルの

〝世界初〟を叶えたのは、剣を飲み込む芸を行っていた大道芸人だったという。

その後も実験は繰り返されたが、硬くてまっすぐな金属管を無理やり飲み込んだことにより死者も出た。しかし研究はその後も引き継がれた。やがて1932年になってドイツ人医師のシンドラーが先端の曲がる胃鏡を考案したが、やはり苦痛を解消することができず、実用化には至らなかった。

●実用化に成功した日本人医師

「日本人は胃カメラというすごいものを発明したね」

『関東大震災』などのドキュメント作品を多く執筆した作家の吉村昭は、南アフリカのケープタウンを訪れていた時にそう声をかけられたという。

胃カメラが誕生したのは戦後間もない1950年のことで、それから20年以上の年月が経っていたが、それを開発したのが日本人だということは当時あまり知られていなかった。

吉村にとっても初耳だった。書かねばならぬと決意した。

ヨーロッパの医師たちが何十年にもわたって研究を重ねたものの、実用化されることがなかった胃カメラを完成させたのは、東京大学附属病院分院の外科医だった宇治達郎だった。

1919年に埼玉県大宮町（現さいたま市）の大宮氷川参道にほど近い開業医の父のもとに生まれた宇治は、旧制浦和高校を経て東京帝国大学医学部に進学する。卒業した1943年8月は太平洋戦争真っ只中で、連合軍の攻撃が激しさを増していて、宇治もすぐに軍医として徴兵され中国にわたった。戦後に復員してから本格的に東大分院の医師として働き出すことになるのだが、そこで直面したのが胃がん患者の多さだった。

当時主流だった診察法といえば、患者にバリウムを投与してレントゲン写真で異状を確認する方法だったが、その診断精度は高くはなかった。切開してみるとすでに手遅れということも少なくなく、現在は6割を超える胃がん患者の術後の5年生存率も、当時はわずか2割でしかなかった。まさに死の病だったのだ。

「いったい患者の胃の中では何が起きているのか…」

「この目で患者の胃の中を見ることができたら、もっと正しい診断を下すことができ、手遅れや誤診も減らすことができるのに」

そう考えた宇治は、患者の胃の中を撮影できるカメラの実現を求めて高千穂光学工業（現オリンパス）の門をたたいた。

●研究と改良の賜物

戦前からカメラで世界をけん引してきた高千穂光学工業で、宇治を迎えたのは主任技士の杉浦睦夫だった。

「胃の中を写せるカメラを作ってもらえないか」

そうすれば胃がんを早期発見できる。多くの患者の命を救うことができると訴える宇治の話を杉浦は受け止めた。二人は話し合いを重ね、ゴム管の先端に取りつけた小型カメラで胃の中を撮影するという大枠をまとめた。

しかし、現在のようなデジタル技術が発達していない時代、撮影した映像はフィルムに焼きつけなければならない。そのためには、体内にあるフィルムを体外で巻き上げる必要がある。人間の食道の太さは平均14ミリメートルであるため、すべてを小型化してその範囲内に収めなければならないなど難問だらけだった。

さらに一番の問題は、真っ暗な胃の中でいかにして強い光源を得るかにあった。

ふつうの直径5ミリメートルの豆電球では発光量が足りず、改良の必要があった。やっとのことで協力してくれる職人を見つけ出し、改良に改良を重ねてようやく胃の中の撮影に耐えうる豆電球を完成させることができた。

「これでようやく胃の中を撮影することができる」

宇治は試作した胃カメラで犬を用いた実験に着手し、操作してみた。だが今度は写真は撮れるが、それが胃のどの部分を撮影しているのかがわからないという壁にぶつかることになる。

どうすれば、撮影した場所を特定できるのか……。陽が落ちてあたりが薄暗くなるのにも気づかずに実験に没頭していた宇治に一筋の光が見えた。薄暗い部屋の中でシャッターを切るたびに犬の胃の中のカメラの豆電球が光っていたのだ。

「豆電球の光の位置で、胃壁の位置を想定できる」。1950年9月、宇治は胃の不調を訴えていた先輩医師の胃の中にカメラを入れ、撮影を試みた。現像したフィルムには胃潰瘍に侵された胃壁がはっきりと写っていた。

東大の若き医師とカメラ技士、そして電球職人らが研鑽を重ねて生み出した開発秘話は、感動の物語として吉村の小説『光る壁画』に収められた。

軍事技術の応用から「電子レンジ」が誕生するまで

●マイクロ波で温める

コンピュータ、携帯電話、カーナビゲーション・システムなど現代の生活に欠かせなくなっている便利な機器は、軍事技術からのスピンオフによって生まれていることが少なくない。

「電子レンジ」もそのひとつで、食品や食材を温めるために庫内で働いているのはレーダーに使われるマイクロ波という電波だ。

レーダーは電波を発射してやまびこのように何かに当たって戻ってくる反射波をとらえる装置で、この反射波によって目視できない船や航空機などの存在をキャッチすることができる。電波のなかでも極めて波長が短いマイクロ波は、光のように直進するためレーダーに最適とされているのだ。

１９３０年代のイギリスで開発されたレーダーは、第二次世界大戦時にアメリカでさらなる進歩を遂げている。そして、その研究に携わっていたのがアメリカの軍事会社レイセオン社で、マイクロ波で食品を温める調理器具を製造することを思いついたのが技術者のパーシー・スペンサーだった。

●偶然の発見ではなかった

電子レンジが世の中に普及するまでは、薪やガスの炎、電気で熱せられたニクロム線など、高熱を発しているものに食品やフライパンなどの調理器具をあてて、表面から火を通すというのが一般的な調理法だった。

火や電熱線は触れればやけどをするのだから、なぜ肉や野菜に火が通るのかその原理はシンプルだ。しかし、電子レンジには発熱体がない。一般の人にとって電子レンジは調理の常識を覆すものだった。

パーシー・スペンサーがマイクロ波で食品を温めることができることを発見したのは、偶然のたまものだったと彼の発明秘話でよく語られる。

マイクロ波を生成するマグネトロンの導波管に寄りかかっていると、ポケットの中に入れていたチョコレートバーがドロドロに溶けていたことに驚いたというのが発見の糸口になったというものだ。

しかし、実際にはこの話はいかにも〝偶然の大発見〟であるかのように誇張されているようだ。

じつは、電波が食品を加熱することは産業界では以前から知られていた。スペンサーのポケットの中で〝チョコレートバー事件〟が起きたときよりも数年前に開催された万国博覧会で、電波でステーキとジャガイモを調理するというパフォーマンスが行われているのだ。

しかし、その技術を調理器具に応用して製品化しようというところまでの発想はなかったのだろう。一緒に働く同僚らも、もちろんマグネトロンのそばに置いてある食べ物が溶けるなどの変化には気づいていた。

だが、それを本格的に調査しようと試みたのがスペンサーだった。彼は、人一倍好奇心が旺盛で、そして研究熱心だったのだ。

●独学で無線技術を磨く

世界各国に軍事同盟網が張り巡らされ、緊張が高まりつつあった1894年、パーシー・スペンサーはアメリカのメイン州ハウランドに生まれた。

1歳半で父を亡くし、ほどなくして母は失踪、幼いスペンサーは叔父と叔母に預けられる。さらに、7歳のときには育ての父である叔父も他界するなどけっして恵まれているとはいえない環境のもとで育った。

初めて働きに出たのは12歳、中等教育も満足に受けずに見習い工として4年間を過ごした。朝から晩まで働きづめの毎日を過ごしていたとき、ある話を耳にした。

「あそこの製紙会社が、電気っていうものを使うらしい」

当時、すでにエジソンが発明した電球は実用化されていたが、スペンサーの住む田舎町ではまだ知られていない技術だったのだ。

興味を持ったスペンサーは可能な限り電気について独学した。そして製紙会社への転職に成功すると、新しい職場で本格的に電気工学を学んだのだ。

その後、18歳になるとアメリカ海軍に入隊する。ちょうどそのころ、豪華客船タイタニック号の沈没事故が起こり、スペンサーは航海で使われる無線技術に興味を持つようになる。夜な夜な独学で無線技術に関連する学問を学び、除隊後はアメリカ国防省の請負業者であるレイセオン社に入社した。

ここでもスペンサーは持ち前の好奇心とアイデアで同社の課題をクリアしていった。なかでも評価が高かったのが、1日あたり17個のペースで製造されていたマグネトロンの組み立て工程を見直し、効率化のよい製造方法を考えたことだ。その結果、1日あたり2600個という大量生産を実現させたのである。

戦時中、レーダーの開発はアメリカにとってマンハッタン計画に次ぐ重要プロジェクトで、スペンサーのアイデアによってレイセオン社は連合国軍の勝利に大きく貢献することになった。

●マイクロ波調理に可能性あり

常に新しい技術に興味を持ち、自ら貪欲に学んできたスペンサーだったからこそ、マイクロ波が食品に与える不思議な効果に気づいたからには、それを素通りすることはできなかったのだろう。

卵やポップコーンなどを使い、マイクロ波によってどの食品がどのように調理されるのかを調査していったのだ。

電子レンジで調理された食品は、ガス火などで加熱するのとは異なり、表面に焼き色をつけることなく熱せられる。これは食品の中の水分子をマイクロ波が振動させて摩擦熱を起こしているからだ。

この新しい調理法に将来性を感じたスペンサーは、のちの電子レンジとなる器具の設計に乗り出した。

マグネトロンで発振させたマイクロ波が導波管を通って食品に当たるように設計し、反射効率と遮蔽(しゃへい)性が高い金属性の箱で密閉する。レイセオン社は袋入りのポップコーンを調理する技術で特許を取得し、1947年には「ラダレンジ」として製品化されたのだった。

ただし、初期のモデルは非常に高価だっただけでなく、その大きさも高さ180センチメートル以上と家庭用として普及するのには巨大すぎた。当時は、一部のレストランや飛行機での食事の温めのために導入されたくらいで、ヒット商品となるにはほど遠かった。

●特許の数は3000件

その後の電子レンジの発展は他社が担ってきた。レイセオン社からライセンス技術を供与されたメーカーが家庭向けの開発を行い、徐々に小型化していった。キッチンのカウンターに置けるサイズになるまでに20年の期間を要している。

第二次世界大戦が終結し、軍事用レーダーのマグネトロンの需要がこれまでのように見込めなくなった会社にとって、スペンサーの発明品は渡りに船だったにちがいない。スペンサーはその功績が認められ、同社の上席副社長兼取締役にまで上りつめ、彼の名を冠したビルも建設された。

技術者であり発明家だったスペンサーの人生は逆境からのスタートだったが、行動力とアイデアで次々と未来を切り開いていったのだ。ちなみに、彼が在職中にレイセオン社が取得した特許は３０００件を数えたという。

▽地上の太陽「核融合発電」は、いまどこまできているか

■地球上に太陽を

地下資源の乏しい日本にとって、新しいエネルギー源を開発することは悲願ともいえる。海底のメタンハイドレード開発についても長年の努力が続いてはいるが、実用化はまだ見通しが立っていない。

東日本大震災による福島第一原子力発電所の事故で、原子力発電所の運用が滞っているために石油を中心とした火力発電に頼らざるを得ない以上、二酸化炭素の排出量を思うように減らせないという現実にも直面している。

とくにヨーロッパ諸国ではクリーンエネルギーの導入が進み、太陽光、風力、水力、地熱、バイオマスといった発電方法の比重が増えており、EU全体の平均でも全エネルギーに対して40パーセント近くになる。

日本でも、徐々に普及しているとはいえ、全発電量に占める自然エネルギーの割

合は２０２２年度時点で23パーセント弱にとどまっている。

資源もない、原子力発電も使えないとなるなかで、二酸化炭素の排出を抑えるという国際的なプレッシャーも受ける。安全で持続可能な発電方法の導入は、急務となっているのだ。

そこへきてにわかに脚光を浴びているのが「核融合発電」という最新技術だ。いわば、地球上に太陽をつくる研究だという。

■都合のいい条件

太陽は46億年前に誕生して、現在も地球やその他の星を照らすエネルギーを放射し続けている。そのエネルギーを生み出しているのが核融合なのだ。

核融合を簡単に説明すると、軽い原子核同士がぶつかってくっつき、より重い原子核に替わることをいう。その際に、非常に大きなエネルギーを生むのだ。

太陽は４分の3が水素でできている星だ。中心温度は１５００万度と非常に高温で、鉄の20倍もの密度になっている。高密度と高温が核融合を起こす条件となり、もっとも軽い物質である水素同士が反応してヘリウムを生んでいる。その際に莫大なエネルギーが放射されているのだ。

太陽は質量が地球の約33万倍にもなる巨大な星であり、含有する水素がすべて核融合で使い果たされるまであと50億年はかかる計算だという。

その太陽で起きている核融合を、人為的に起こすことで永続的なエネルギーを生み出そうというのが核融合発電の考え方なのだ。

ただし地球上で核融合を起こそうとしたとき、太陽ほどの高密度を実現することはむずかしい。この条件下では水素を使った核融合が起こせないので、水素の仲間である重水素や三重水素（トリチウム）、ヘリウム3を使うのだが、現段階では重水素と三重水素を使った核融合が研究されている。

核融合の材料となる重水素は海中に豊富にあるし、三重水素もその原料となるリチウムは鉱山や海水中に多く存在している。

仮に核融合の材料として重水素を使い続けても1億年はなくならない計算で、雨が降れば海水は増えるので新たな供給も続くことになる。四方を海に囲まれた日本にとって、これほど都合のいい発電方法はないといえるだろう。

■放射性物質を使わない

何より興味深いのは、核融合発電は原理上、安全な発電方法だということだ。深刻な原子力発電事故を経験した日本にとって、発電の安全性というのは国民的な関心事であるといえる。

核融合は原子力発電と違って、ウランやプルトニウムといった放射性物質を使わない。三重水素は放射線を発するが、非常に弱いためにシビアアクシデントが起きにくいのだ。

原子力発電に使われる核分裂は、反応を止めるのがむずかしく、暴走事故のリスクがあるのと違って、核融合は条件が変わるとすぐに止まってしまうのが特徴だ。つまり、制御不能な事故が起きにくいのである。

材料調達と安全性という二つの大きなメリットがある以上、日本のエネルギー政策にとって核融合発電がどれほど重要なものかわかるだろう。

政府も今が正念場として力を入れており、2023年5月にも京都大学発のベンチャー企業に対して、政府系ファンドや電力会社、大手商社などが合わせて100億円余りを出資することを発表した。

■莫大なコスト

京都大学エネルギー理工学研究所の研究者たちが中心になって立ち上げたベンチ

ャー企業は、世界初の小規模実験プラントの建設を進めている。核融合発電の実用化には、実験炉の建設と実証実験が不可欠で、これに莫大なコストが必要だ。

核融合には、1億度以上の高温、1立方センチメートルの中に原子核が100兆個以上という高密度、閉じ込め状態が1秒以上という3つの条件が必要だ。

とくにむずかしいのが、閉じ込め状態を1秒以上保つことだ。水素は高温によって原子の中の原子核と分子が遊離した「プラズマ状態」になっており、放っておけばあっというまに空気中に霧散してしまう。磁力やレーザーなどを使ってそれを閉じ込める実験が続けられてきたのだ。

日本の研究チームの技術は十分実用が可能な域に達しているという。国が中心となって投資が進むことで、実用化のスピードは加速する。

日本はインフラを含めた社会基盤のデジタル化や宇宙開発の面で、明らかに先進国の中で後れをとっているふしがある。次世代エネルギー開発という悲願を叶える意味でも新たな基幹産業をつくるという意味でも、核融合発電事業は重要なのである。

Chapter3

その古代の「発明」が、文明の歯車をまわした

発明されたときから完成形だった「釣り針」という奇跡

●2万3000年前の釣り針

海や川などで手軽に楽しめるレジャーのひとつが釣りだ。子どもから大人まで、釣り竿を握って水面を見つめるまなざしは真剣そのもの。驚くべきことに、釣りのスタイルは太古の昔から変わっていないのだ。

2016年9月に沖縄県立博物館・美術館が世界史を塗り替える発表をした。2012年に沖縄県南城市の「サキタリ洞遺跡」で発見された貝製の道具を分析した結果、2万3000年前の「釣り針」だと判明したのだ。

この発見があるまで、世界最古の釣り針は、東ティモールの「ジェリマライ遺跡」で発見されたものだとされていたが、その年代は2万3000年前から1万6000年前と幅があり、正確な特定には至っていなかった。

サキタリ洞遺跡では、釣り針が発見された地層の放射性炭素年代測定によって2

万3000年前のものだということが判明し、同じ地層から未完成の釣り針もいくつか見つかっている。

当時の日本は後期旧石器時代に当たり、人々は狩猟採集生活を送っていた。旧石器時代の人々の生活を思い浮かべれば、マンモスなどの大型獣を集団で狩っているイメージが強い。しかし海に囲まれ川も多い日本の水産資源は、現在と同様に当時の人々の暮らしを豊かにしていた。

食料としての魚やカニをどうやってとっていたかといえば、手づかみや銛(もり)を使った漁労が行われていたようだが、より精密な「釣り」という方法を可能にしたのが釣り針の発明だったのである。

●沖縄の豊かな潮の流れ

サキタリ洞遺跡は沖縄島の南端の海岸から2キロメートルほど内陸に位置する。釣り針が使われていた時代は寒冷期であり、海水面は現在より低かったが、それでも海岸線との距離は5キロメートルほどだった。

状況的に考えれば、食物を得るために漁が行われていた可能性はあったものの、遺跡からその道具などの痕跡は発見されていなかった。

沖縄だけではなく、東南アジアの一部を除いて、旧石器時代の漁労についてはほとんどわかっていなかった。それを考えると、サキタリ洞遺跡の釣り針がどれほど価値のある発見なのかわかるだろう。旧石器時代の人々が漁を行っていたことを明確に示す証拠となったのだ。

そもそも、沖縄に暮らしていた人々は、海を渡って大陸からやってきた海洋民族の子孫のはずだ。5万年前以降にアフリカを出発したホモ・サピエンスの一部はユーラシア大陸の東へ進み、海を渡り日本列島の南にたどり着いた。

彼らがどうやって船を作り、海を渡って来たかはまだわからないことが多いが、沖縄のまわりの海には黒潮の流れがあり、そこをめがけてたどり着くためには高度な航海術が必要だったはずだ。

日本の南端に定住した人々にとって生きるために一番重要な課題になったのは、食料を得ることである。沖縄は豊かな潮の流れに乗ってやってきた魚が泳ぐ海に囲まれていた。海を渡って来た彼らが、狩場を海に定めたとしても不思議はないだろう。

大量の装飾品や貝がら、カニの甲羅や魚の骨、そして発見された太古の釣り針……。サキタリ洞遺跡は、そこに繰り広げられた人々の生活をいきいきと私たちの目の前に見せてくれたのである。

●「かえし」がついていない

しかし、ここでひとつの横やりが入る。サキタリ洞遺跡の釣り針には、それまでヨーロッパなどの遺跡で発見されていた釣り針とは決定的な違いがあった。それは、「かえし」がついていないことだ。

アメリカの雑誌「サイエンス」に発表された発掘調査の報告を見た研究者たちから、「釣り針ではなく、アクセサリーではないか」という意見が相次いだのである。

たしかに、現在では一般的な釣り針にかえしがついているのは世界共通の特徴だ(カツオの一本釣りなどをのぞく)。

魚を傷つけない、キャッチアンドリリースがしやすいなどの理由から、あえてかえしのついていない釣り針を使う人もいるが、確実に食料を得るためには、かえしがついているほうがいい。今から1万年ほど前の遺跡で発見された釣り針は、その素材こそ貝や動物の骨、鉄などさまざまではあっても、形はほとんど変わっていないのだ。

全体が「し」の字のようなカーブを描き、細く整えられた鋭い先端を持ち、逆向きの爪がついている。釣り針のフォルムは、古代人が使っていたものと現在のものにほとんど違いが見られない。

このため、発明当初からほぼ完成形だったとされてきたのが釣り針なのだが、それを理由に「サキタリ洞遺跡で発見されたのは釣り針ではなく装飾品」というのも無理があるだろう。

●素材は貝だった

沖縄県立博物館・美術館の研究チームも、発見したのは釣り針であるという見方は変えなかった。それはその形だけが根拠ではない。研究チームが注目したのは、一緒に発見された魚の骨だ。海に生息するブダイ、アイゴ、川に生息するオオウナギなど、十数点の骨が見つかったのだ。

旧石器時代の人々がこれらの魚を食料にしていたことは明らかで、それを獲る道具として一緒に発見された貝製の道具が釣り針として使われていたことは間違いないと結論づけたのである。

素材となった貝も、一見もろいように感じるが、その強度はかなり高く、イノシシの骨よりも丈夫なのだという。同時期の遺物の可能性がある東ティモールで見つかっている釣り針も素材は貝だ。

サキタリ洞遺跡の釣り針が使われていた時代から1万年ほどかけてシンプルな構造がさらに進化し、かえしがつけられるようになったのだろうか。それとも偶然の発見によって、劇的な変化が訪れたのだろうか。

その進化の過程を示す発見はまだされていないが、研究が進めばその詳細がわかる日もくるに違いない。

100万人を支える「上下水道」を完成させたローマ帝国の思考とは？

●ほとんどが地下の導水渠

紀元前から紀元後4世紀まで地中海沿岸を中心とした地域に広大な領土を持ち、高度な政治や文化を発達させた大国といえば古代ローマ帝国だ。石造りの遺跡は現在もあちこちに残り、その栄華を彷彿とさせる。

そのなかで、フランス南部のガール川にかかるのがポン・デュ・ガール（ガール水道橋）だ。1985年に世界遺産に登録されたこの橋は、ローマ市民に水を届ける「上水道」として利用されていた。

アーチ橋を二重にしたような橋の形状は、供給先である丘の上の都市と同じ高さになるように設計されている。同じような水道橋は各地に存在し、ローマ帝国が水道整備に力を注いでいたことがよくわかる。

「すべての道はローマに通ず」といわれるように、ローマ帝国では高い土木・建築技術を用いて文字通りその領土に道路を張り巡らせている。紀元前312年に建設が始まったアッピア街道は、ローマ市から南イタリアのブルンディッシウムまで全長540キロメートルもの敷石の道だ。

最古のローマ道であるアッピア街道は、その美しい路面から「街道の女王」と呼ばれている。アッピア街道をはじめとする街道が張り巡らされたことで、軍事、商業、政治、文化が、帝国のすみずみまで行き渡ることになったのだ。

街道と同様に領土内を網羅していたのが、上下水道である。アッピア街道の建設と時を同じくして始まったのが、世界最古の水道であるアッピア水道だ。全長16・6キロメートルの水道は、そのほとんどが地下の導水渠（どうすいきょ）になっている。

●支配階級の思考とは

当時のローマは積極的に勢力を拡大している最中で、領土も領民もどんどん増えていく途中にあった。ローマにとって、首都の安定と同時に拡大する属国の政情を安定させるのが急務となったのだ。

上下水道の整備はそのための重要施策として始まった一大プロジェクトだ。最初の水道であるアッピア水道の建設に携わったのは、アッピア街道建設を指導したアッピウス・クラウディウス・カエクスという監察官である。

監察官というのは大きな権力を持っていた官職で、街道や上下水道の整備という大規模なインフラ工事を任されるほどの力があった。アッピウスをはじめとした歴代の監察官が、上下水道の工事を国の安定に結びつけて考えていたのは、その後もローマ全土で上下水道の整備が続いたことからもわかる。

アッピア水道を皮切りに、ローマでは水道工事が盛んに行われた。紀元前144年のマルキア水道、紀元前125年のテプラ水道、紀元前33年のユリア水道など、紀元後3世紀までに11の水道が建設されている。

「増え続ける属国と、その国の人々が不満を持たないのが領土安定への鍵。そのためには、ローマと同じように暮らしやすい国にすること。街道の整備と水道の整備は何よりも優先されてしかるべき事業ということになる」

このような支配階級の思考こそが、ローマ帝国のインフラ整備を進め、長い繁栄の時代をもたらしたのである。

●下水道が先

下水道はローマの支配者たちが力を入れたもののひとつだ。実はローマ初の下水道は、アッピア水道より400年以上前の紀元前615年に建設されている。7つの丘に囲まれたフォーラム谷の排水のために作られたという。

当初は地面に掘られた溝のようなスタイルだったとみられているが、徐々に整備が進み、地中に下水管が作られるようになる。

それと同時に公衆トイレの建設も進んだ。大量の上水を使う大浴場の近くに作られたものが多く、そこで使われる水を利用して汚物を下水道に流したのではないかと推測されている。

なぜ上水道より先に下水道ができたのかといえば、丘の上に位置したローマでは、下水道の整備はさほどむずかしいことではなかったのも理由のひとつだろう。丘の上の街から下に流し、そこを流れるティベリ川に排水すればよかったからだ。

豊かな水資源を背景にローマでは公衆浴場が盛んに作られ、市民たちもそれを楽しんでいたことは有名な話だ。とくに有名なのはカラカラ帝が作った「カラカラ大浴場」で、一度に1600人を収容することができた。

大浴場では、男女混浴、市民も貴族も、ときには皇帝も共に入浴を楽しみ、内外に店が立ち、食べ物や酒、香水などが売られていたという。享楽的なローマの文化を象徴するひとつが大浴場であり、それを可能にしたのが張り巡らされた上下水道設備だったのである。

●毎日100万立方メートル以上を供給

上水道は、水源から水を引いてくる途中で低い所から水を上げる必要がある。「逆サイフォンの原理」と呼ばれるしくみを使うと、高低差を利用して水を低い所から高い所に流すことができるが、それには水道管が不可欠だ。

ローマで使われていた水道管は石や陶器でできていたが、鉛製のものもあった。鉛製の管は水の中に溶け込んだ鉛によって飲用すると鉛中毒を起こす危険があったが、耐久性の高さが長所だった。

水源となる場所はローマよりも標高の高い場所で、そこからまず重力を使って水を引き、谷を越えるときは高低差をつけた管を設置したり、水道橋を建設して、何キロメートルも離れた都市へときれいな水を供給した。

毎日100万立方メートル以上もの水がローマに供給されていたとされ、これは市民一人当たりで計算すると、現在の東京都民に対して供給される水量の4倍にもなる。ローマの人々がいかに豊富に水を使うことができたのかわかるだろう。

領土が広くなれば、その土地の事情もさまざまになる。必ずしも水が豊かな地域ばかりではないだろう。そこに清潔な水を供給することは、市民生活を安定させ、疫病に強い街づくりにつながる。

最盛期には100万人もの人口を抱えていたというローマで、「パクス・ロマーナ」と呼ばれる200年間の繁栄と平和な時代を実現したのは、市民たちが不満を持たずに暮らせたからだ。

ローマ皇帝たちは領土を拡大するにつれてインフラ整備を行い、属国の人々にもその恩恵を与えた。それによって、彼らは支配者となったローマ帝国に対して不満を抱くことがなかった。上下水道の整備は、ローマの平和と繁栄に欠かせないピースだったのである。

「暦」の誕生は、人々の生活をどう変えたか

●閏年をなくしたが…

現在、世界中でもっとも多く採用されている暦は、「グレゴリオ暦」だ。これは中世ヨーロッパで最初に採用されたもので、教皇グレゴリウス13世にちなんで名づけられている。

それまでのヨーロッパで採用されていたのは「ユリウス暦」で、こちらはローマの政治家カエサルが制定した暦だ。どちらも太陽暦をもとにしているが、ユリウス暦をグレゴリオ暦に変えるとはいっても、ひと筋縄ではいかない事情があった。

カエサルは、太陽信仰に基づいたエジプトの太陽暦「ユリウス暦」をローマに導入した。それまでの太陰暦では地球の公転周期によるずれが大きくなってきて、1年に20から25日の閏月(うるう)を入れなければならなくなっていた。

ユリウス暦は紀元前45年に導入され、1年は365日、4年に一度366日の閏

年を挿入することになった。これで、平均すると1年は365・25日になる。地球の公転周期は365・242…日なので、これでもずれは生じてしまう。

これが積み重なって、16世紀の終わりごろには10日以上のずれが出てしまっていた。復活祭などの季節行事を暦によって決めていたカトリック教会にとっては非常にやりにくい状況となってしまう。そこで時のローマ教皇グレゴリウス13世が1582年に導入したのがグレゴリオ暦なのだ。

まず、ユリウス暦で生じたずれを解消するため、その年の10月4日木曜日の翌日を10月15日金曜日にした。そのうえで、4年に一度の閏年に加えて、400年に一度、閏年をなくすという調整をすることにしたのである。

基本的には同じ太陽暦によるもので、季節のずれもなくなるとなればみな賛成するかと思いきや、これが強い反発を招いた。それは、暦を制定した人物であるグレゴリウス13世に対するものであった。

●カトリック教会による策略

当時のヨーロッパではルターが始めた宗教改革の動きが時代とともに大きくなっ

ていた。カトリック教会はこれに危機感を抱き、プロテスタントに対する弾圧を強めていたのだ。異端の取り締まりや思想統制を強め、イエズス会を創設して世界各地にカトリックの布教を進めた。

そんな最中に教皇の地位に就いたグレゴリウス13世は、フランスのユグノー戦争でプロテスタントがカトリック教徒に虐殺されるという「サンバルテルミの虐殺」（1572年）の知らせを受けると、祝賀行事を行ったという逸話が残っている。

改暦のころにはルターはすでに亡くなっていたが、生前カトリック教会による改暦の計画を耳にしていて、改暦をカトリック教会が行うことを否定し、世俗の権威に委ねるべきであるという考えだった。

「教皇と仲よくなるくらいなら太陽と不仲になるほうがまし」

プロテスタントたちはこの言葉通り、グレゴリウス13世による改暦に反発した。カトリック教会による策略であり、暦さえも自らに都合よく変えようとする所業だとしたのだ。

宗教改革の動きに対して弾圧を強めていたグレゴリウス13世にとっては、グレゴリオ暦への改暦に対するプロテスタントたちの反発など顧みる価値もないものだっただろう。むしろその意見を踏みにじって改暦してしまえば、改革勢力への圧力にもなる。

近隣のカトリック国へは、速やかにグレゴリオ暦を採択するように通知が出された。そして数年後にはイタリア、スペイン、ポルトガル、フランス、オーストリア、ポーランド、ハンガリー、神聖ローマ帝国といったヨーロッパのカトリック国でグレゴリオ暦が用いられるようになったのである。

●日曜日を休日にすれば労働日数が増える

宗教的な対立構造はあったものの、グレゴリオ暦の導入は世界的に統一された暦として価値のあるものだった。改暦の際に、1年のはじまりが1月1日であるということも同時に定められた。

あまり知られていないことだが、それまでは国によって1年のはじまりは、クリスマスや受胎告知の日、復活祭などさまざまだった。これを1月1日に統一したことは、わかりやすさという意味では大きな貢献になる。

以降の歴史では、同じできごとでも国によって年が違うということは起こらなくなったのだ。ちなみに、ユリウス暦でもグレゴリオ暦でも1週間は7日で、月火水木金土日の曜日も同じだ。日曜日が休日となっているのは、一説にはユダヤ教の習慣にルーツがあるという。

神は6日間で万物を創造し、7日目に休息したという聖書の教えのもとに、ユダヤ教徒たちは7日に一度安息日を設け、いっさいの労働をしなかった。キリスト教を国教とした古代ローマでもこの習慣を採用し、321年にコンスタンティヌス帝が日曜日を安息日として定めたのである。

日本では1873年（明治6年）にグレゴリオ暦が採用された。1874年には週休制が導入され、まず官庁が日曜日を休みとしたのである。

これは定期的に働く人に休みを取らせようという意図でスタートしたことではない。当時の官庁はかなり休日が多く、労働日数の少なさが目立っていたのだ。そこで、日曜日を休みと定めて平日を就労日にすれば、おのずと働く日数が増える。

働き過ぎと称されることが多い日本人の労働環境は、グレゴリオ暦の導入をきっかけにつくられていった。安息日を設けたキリスト教国とはそもそもの経緯が違い過ぎたのである。

「車輪」がもたらした人の移動と物流の大変革

●3000年前の木製の車輪

最初に文明が生まれた場所といえば、ティグリス川とユーフラテス川流域の肥沃な土地に栄えたメソポタミア文明だ。高度な灌漑技術によって得た豊かな農産物のおかげで、紀元前3500年ごろから定住集落が増え、人口は爆発的に増えていた。

人間が増えれば、第一次産業に従事しない人々も生まれた。神官や戦士、商人や職人などの誕生で、その集団はいわゆる「都市国家」として発展していったのである。

そのメソポタミアの地で、最初に都市国家を形成したのがシュメール人だ。どこから来たのかわからない来歴不明の民族は、紀元前2700年までにメソポタミア南部にウルク、ウル、ラガシュ、ウンマなど数々の都市国家をつくり、高度な文明を興したのである。

シュメール人が後世に残したものは多く、重要な発明も多数存在する。そのなかのひとつが、「車輪」だ。車輪の発明は、人類の移動距離を格段に伸ばし、物流に革命を起こした。

古代の車輪はどんなものだったのかをわかりやすく見せる遺物としては、2016年にイギリスの青銅器時代の遺跡の調査で見つかったものが興味深い。3000年前の木製の車輪だ。

紀元前1100年から紀元前800年ごろのものだと見られているため、メソポタミア文明のものよりはかなり新しいのだが、その形状は古代の車輪そのものだ。直径約1メートルの大きな車輪はほぼ完全な形で見つかっているため、写真などでも古代の車輪の姿がよくわかる。

古代の車輪は単に丸太を輪切りにしたものではなく、2つ、あるいは3つのパーツを組み合わせ、木釘で留めるなどして円形にしていた。車輪と車軸は固定されており、軸ごと回転するというシンプルな構造である。

その後、時代が進むとともに青銅器や鉄などの素材を使って車輪の性能はどんどん向上していったのだが、すべてのはじまりは古代文明で使われていた木製の車輪だったのである。

●動物に引かれた乗り物

車輪の発明が正確にいつだったのかははっきりとわかっていないが、古代メソポタミアで普及し始めていたのは数々の考古学的資料からみても間違いないだろう。その痕跡のなかでもっとも有名なのが、紀元前２５００年ごろに栄えたウル第1王朝の遺跡だ。

１９２２年からの発掘調査で発見された遺跡の中から、「ウルの軍旗」と呼ばれる遺物が出土した。高さ22センチ、長さ50センチほどの木箱の側面に貝がら、ラピスラズリ、紅玉などで絵が描かれている。現在はイギリスの大英博物館に収蔵されているたいへん美しいものだが、そこに描かれていたのはウルの戦士たちが戦う場面と、休息をとっているシーンだった。

その戦いの場面の一部に、動物に引かれた車輪のついた乗り物が描かれている。これこそが、最古の車輪の痕跡なのだ。描かれている乗り物は、戦場の場面に登場していることから考えると戦車だという解釈が一番しっくりくる。

ウルの戦士たちは一様に横を向き、敵に向かう途中か、あるいは敵地からの凱旋か、歩みを進めていく。その隊列の中に、動物に引かせた戦車が混じり、その車輪の音が戦士たちの足音に混ざる。ウルの軍旗には、当時の戦場の様子がいきいきと描かれているのだ。

戦車を引く動物が何なのか、戦車が何でできているのかは議論の分かれるところだが、これほどはっきりとした絵が残されている以上、ウル第1王朝に車輪が存在したことには議論の余地がない。

もうひとつの根拠としては、シュメール人のもうひとつの偉大な発明である楔形文字にも、車輪がついたそりのような絵文字が見つかっていることも挙げられる。

●軍事目的で使われる

メソポタミアの都市国家が発展する前、車輪はあくまでも農作業を助ける運搬用に使われていたはずだ。実際、ウルの軍旗より古い時代、スロベニアにあるリュブリャナ沼地で発見された紀元前3100年ごろの杭上式住居群の跡地からは、セイヨウトネリコとオークで作られた車輪、ホイール、軸が発見されている。これは荷物の運搬などに使われていたもののようだ。

急速に発展する都市国家のなかで、新しい階級として生まれた戦士たちは、戦いをより有利に進めるために戦闘技術も発達させていく。その流れのなかで、車輪も軍事目的で使われるようになったのだ。

いったい誰が、どんなタイミングで車輪を軍事転用しようと思いついたのかはわからない。戦場に戦車を投入したことで、機動力や運搬力はけた違いに上がったことは容易に想像できる。

戦争が技術革命をもたらし、科学を発展させるというのは現代にも通じる。こうしたことが古代から脈々と受け継がれているのだとすれば、複雑な気持ちになってしまうのである。

Chapter4

世界を変えた「発明」「発見」の力

「活版印刷技術」――「世界三大発明」が社会に与えた本当のインパクト1

●180部のうち現存するのは48部

東京都港区の三田にある慶応義塾大学メディアセンターのコレクションのなかに1冊の貴重な本がある。古びた茶色い皮張りの表紙に、退色した金具が歴史を感じさせるそれこそが「グーテンベルク42行聖書」と呼ばれる聖書だ。

グーテンベルク42行聖書は、画期的な技術によってこの世に誕生した。ルネサンス三大発明のひとつであるグーテンベルクが発明した「活版印刷」だ。1455年ごろに世界で初めて印刷された聖書は、180部ほど印刷されたが、製本された形で現存するものはわずか48部だという。

慶応大学が所蔵する1冊は、そのなかでも印刷、修飾、製本までがすべてグーテンベルクのマインツの工房で行われた貴重なものだ。中身は2段組み42行のゴシック活字で、欄外は手描きの装飾で華麗に彩られている。歴史的な意義だけでなく、アートとして見ても息をのむほど美しく、気高い。

ルネサンスの三大発明と呼ばれる火薬・羅針盤・活版印刷は、そのどれもが単なる技術の発達では終わらず、社会構造をも激変させた。

火薬はそれまでの戦争の形態を変えて歩兵の重要度を上げ、騎士の没落を促した。また、羅針盤は航海技術を進歩させて大航海時代をもたらし、これによりヨーロッパ人の海外進出が始まっている。

そのなかで活版印刷技術の発明が当時の社会にもたらしたのは情報革命だ。ドイツの工房で生み出された本が、中世のキリスト教社会を揺るがす大きな変化の起爆剤となったのである。

●発明者の謎めいた生涯

活版印刷の発明者であるグーテンベルクについては、実はあまり詳細な資料が残されていない。いくつかの裁判記録にその名が残っているのみだ。活版印刷の研究記録もなければ、自伝や伝記もない。婚約不履行の訴訟を起こされただけで生涯独身を貫いたためか、家族の話すら伝わっていないのだ。

そのため、活版印刷の発明者が本当にグーテンベルクだったのかという議論もなされてきたが、周辺資料を突き合わせれば、やはり彼の偉業だということは間違いないという結論に落ち着いている。

ドイツの金工職人の家に生まれたグーテンベルクだが、その人生はけっして恵まれたものではなかった。父親はライン川両岸に広がるマインツで貨幣の鋳造に関わる仕事をしており、グーテンベルクも造幣局でその技術を学ぶことができた。

しかし、父親が仕事上の勢力争いで失脚してしまう。父親の死後マインツを去り、1430年代半ばごろからフランス北東部のシュトラースブルク（現ストラスブール）に滞在したグーテンベルクだが、その当時の記録もほとんど存在しない。

限られた資料を紐解いていくと、グーテンベルクと三人の男性との間で争われた事務所の共同経営に関するトラブルについての裁判記録に行きつくのだ。

共同経営の契約書には何も書かれていなかったのだが、裁判の取り調べ記録には「資金の一部が鉛やプレス機を買うためのものだった」とある。つまり、印刷に関する何らかの研究が行われていたと推察できるのだ。

同時に、記録が残されていないことを考えると、研究がかなり秘密裏に行われていたこともうかがえる。

●工房で刷り始めた42行聖書

それまでの印刷技術では、1ページにつき1枚の版が必要になる。1文字でも修正する場合は、その版をすべて作り直さなければならない。そのためのコストは膨大なものである。

そのうえ当時の社会は識字率も低く、印刷物は聖職者や貴族などの特権階級のものだった。これは知識や情報の専有化を意味する。

身分階級は固定化しており、支配する者とされる者は明確に区別されていた。とくに、キリスト教が社会の大きな価値観である中世においては、キリストの教えを聖職者が独占することで「神に救われたければ教会へ行く」しかない。その構造を維持することで、教会はさまざまな利権を得ていたのである。

グーテンベルクが開発した印刷技術は、アルファベットをひとつずつ版にして、ページごとに枠にはめ込んで印刷し、別のページを印刷するときには、いったんバラして組み替えて印刷するという画期的なものだ。これにより修正も簡単になり、印刷の効率が飛躍的に上がり、コストも抑えられるようになった。

11世紀の中国でも似たような技術は開発されていて、漢字一文字をひとつの活字にする、陶器を使った膠泥（こうでい）活字が生まれていた。

しかし中国の文字の場合、活字にしなければならない漢字の数が膨大なためにそのメリットを感じにくい。しだいにその技術はすたれてしまったようだ。そこへいくと30文字弱のアルファベットを組み合わせるヨーロッパの言語は、活字の恩恵を最大限に受けることができる。

グーテンベルクは活版印刷の技術を携えてドイツに戻り、マインツに工房を構えた。かつて父親が失脚し、一度は離れた故郷に舞い戻った理由はなぜか。複雑な思いを抱えながらも、もう一度生まれた町でやり直したいという気持ちがあったのかもしれない。

生涯独身で新たな家族を持たなかったというグーテンベルクにとっては、マインツの地こそが家族と暮らしたホーム・グラウンドだ。懐かしい故郷に戻ったグーテンベルクが最初に手がけたのが、聖書の印刷だったのである。

●キリスト教を「教会から外へ」

それまでの聖書はすべて聖職者たちによって写本されるもので、芸術作品のような美しい文字と挿絵に彩られている。当然、一般の市民の目に触れるものではなかった。

グーテンベルクが最初に手がけた「グーテンベルク42行聖書」はラテン語で書かれていたうえ装丁も豪華で、各ページに手描きの装飾がなされていたためまだまだ高価だった。それでも写本に比べれば価格は大幅に下がった。

42行聖書のような印刷物を「インキュナブラ」と呼ぶ。金属活字をもって、1500年以前に印刷されたもののことだが、1500年を境に技術が大きく変わったわけではなく、世紀の変わり目という区切りで分けているだけのようだ。

広く一般に頒布するためというより、写本をそのまま再現することに重きが置かれていたため装飾的であり、現在の印刷物とはかなり印象が違う。

それでも活版印刷で聖書が印刷されたという事実は、一部の特権階級に独占されていたキリストの教えが、教会を出て広く大衆化する素地ができたことを意味する。これは情報伝達の革命であり、メディア史における大事件なのである。

●宗教改革の立役者はドイツ語の聖書

活版印刷が中世キリスト教世界を揺るがすことになった舞台が、1517年に始まった宗教改革である。ドイツのヴィッテンベルク大学神学教授のルターは、当時の圧倒的な権威であったローマ・カトリック教会がドイツで「贖宥状（しょくゆう）」の発売を始めたことに対して「95ヶ条の論題」を発表して公然と批判した。

このときルターが唱えたのが、「福音主義」だ。信仰は、教会や聖職者の言葉ではなく、聖書に書かれていることを拠り所とするべきだという考え方である。贖宥状の販売は、「お金を出せば救われる」ということを意味しており、これは当時の教会の拝金主義や腐敗を象徴するようなできごとだった。

かねて教会に対して不満を抱えていた人々がルターの説く福音主義に共感し、大きなムーブメントとなった。彼らは「抵抗する者」という意味のプロテスタントと呼ばれた。

このルターの福音主義を支えたものが、活版印刷で刷られた聖書である。

ルターは、ラテン語ではなくドイツ語で聖書を印刷した。一部の知識人しか解読できないラテン語ではなく、大衆になじみのあるドイツ語の聖書を安価で大量に印刷することで、人々が教会や聖職者に頼らずともキリストの教えを知ることができるようになった。

福音主義を唱える人々にとって、名実ともにキリスト教は教会や聖職者だけのものではなくなったのである。

ローマ・カトリック教会はこの動きに徹底的な弾圧をもってこたえた。これによりヨーロッパ全体を巻き込む宗教戦争が各地で勃発し、キリスト教的な価値観でつながった社会構造から王を中心とした中央集権国家へと様相を変えていく。中世が終わり、時代は近世へと進んだのである。

●裁判記録に残るその後の苦難

一方でグーテンベルクは、「活版印刷技術で儲けて順風満帆の人生を送った」とはならなかった。ここでも資金調達をめぐるトラブルが起きていたのだ。

42行聖書が完成する前、活版印刷の機械、羊皮紙、紙、インクなどへの出資をめぐり、出資者となっていたヨハン・フストに融資の返済を求めた訴えを起こされて敗訴している。その結果、42行聖書の発行を待たずにマインツの工房や印刷機材はすべてフストの手に渡ってしまった。

その事実を後世に伝えるのは、またしても裁判の記録である。グーテンベルクはその生涯を通じて資金繰りに困っており、裁判を起こされては事業がとん挫することを繰り返した。研究者、技術者としては一大事業を成し遂げたが、経営者としての資質は足りなかったといえるだろう。

グーテンベルクはその後も別の工房を構えて印刷事業を続けたとみられているのだが、その詳細は伝えられていない。新たなスポンサーを得て42行聖書のようなインキュナブラを印刷したともいわれているが、そのどれも確証はない。

世界史を一変させるような発明をしたにもかかわらず、グーテンベルク自身は公的なものはおろか私的な記録さえもほとんど残さなかった。彼は孤独だったのか、それとも印刷技術の研究に生涯を捧げ、満たされていたのだろうか。

少なくとも中世から近世へと社会が変わってゆくきっかけとなった宗教改革を支えたのがグーテンベルクの活版印刷技術であり、今日までつながるメディアの発展に大きく寄与していることだけは揺るぎない事実なのである。

「火薬」――「世界三大発明」が社会に与えた本当のインパクト2

●打ち上げられたH2Aロケット

２０２３年９月７日、鹿児島県にある種子島宇宙センターからＨ２Ａロケット47号機が打ち上げられた。

３月に打ち上げが直前で中止になるという事態を乗り越えて、青空に打ち上げられたロケットが白い煙の尾を引きながら小さくなっていく姿を、関係者のみならず多くの国民が中継にくぎづけになって見守った。ロケットは半年ほどかけて日本初となる月面着陸に臨むのだという。

先進国の開発の舞台はもはや地球を飛び出して、宇宙空間へとシフトしている。各国が先端技術でしのぎを削る状況だが、ロケットや衛星が地球から大気圏を飛び出して宇宙にたどり着くためには、非常に大きな動力が必要だ。この動力となり、Ｈ２Ａロケットを宇宙に送り出したのが「火薬」なのだ。

●「不老不死」への願い

人類の三大発明に数えられる火薬は、中国で発明されたと考えられている。そもそものはじまりは、絶対的な権力を持っていた皇帝たちの「不老不死」への願いが込められた錬丹術が発達したことによる。

青銅器や鉄器の製造などを通じて優れた冶金技術を持っていた古代中国では、金属と金属を混ぜ合わせたときの化学反応を使って不老不死の薬を作ろうとする試みが続けられてきた。

現代の科学知識を持っていれば、金属を融合させてできたものを口にして不老不死が実現できるというのはとうてい信じられないことは理解できる。それどころか、毒性のほうが心配なのも明らかだ。

しかし、変色したり火花が出たりという化学反応を目にすれば、古代の人々が超自然的な力を感じたとしても不思議ではない。「これが不老不死の薬だ！」と喜び、錬丹術でできた「仙薬」を口にして命を落とした皇帝もいたという。

そうした失敗を繰り返しながらも、不老不死への渇望は消えなかった。さまざまな試みをするなかで、木炭、硫黄、硝石を混ぜ合わせたときに激しく燃え上がることが経験値として積み上がっていったのだ。これが黒色火薬の誕生である。

●この武器を目にした相手は…

この技術を使って、北宋時代には武器に転用したロケット花火のようなものが誕生した。竹の筒に黒色火薬を詰めて導火線に火をつけて飛ばすという単純なつくりのものだったが、初めてこの武器を目にした相手はどれほど驚いたか想像に難くない。

しだいに火薬の配合は洗練されて、爆発力も上がっていく。さらに、戦争という格好の伝播装置を通じて周辺国へも広がったのである。

中国大陸で生まれた火薬を海を越えたヨーロッパにまで広めたのが、モンゴル帝国だ。遊牧民族のチンギス・ハーンは、西アジアの広大な領土を手中におさめ、一大帝国を築き上げた。その勢力は中国全土も席巻し、日本やロシア、ヨーロッパへも遠征を行った。

日本史の教科書には必ずといっていいほど掲載されている国宝「蒙古襲来絵詞」

（宮内庁所蔵）には、モンゴル軍の戦士が火薬を用いた武器を使っている場面が描かれている。「てつはう」という武器は火薬を詰めた玉のようなもので、爆発しながら宙を飛んでいる様子がわかる。

ヨーロッパに伝わったのがどのタイミングであるかは諸説あるようだが、チンギス・ハーンの孫の代になって行われたヨーロッパ遠征を有力視する見方も多い。

その後、中世ヨーロッパでも火薬の改良や武器への転用が進み、大砲や鉄砲という火器が戦場の主力になる時代が到来する。

●戦争のスタイルが変わった

火薬がヨーロッパにもたらしたのは戦争スタイルの変化だった。馬に乗って剣や槍で戦う騎士は存在感を失っていき、それに代わって主力になったのが、火器を携えた歩兵や大砲を扱う兵士だ。

中世の有力階級だった騎士たちはしだいに没落し、火器を扱う訓練を受けた職業兵士が勢力を拡大する。その結果、戦争が中央集権的な国家体制を後押しすることになった。このことが、中世から近世へと時代を推し進めたのである。

その後も戦場における火器は進化を続け、現在も世界中のどこかの戦場で、人々の暮らしや命をおびやかしている。その一方で、冒頭のH2Aロケットのような先端技術を支え、人類の進歩を促しているのだ。

ノーベル賞の創設者であるノーベルは、ダイナマイト火薬の発明で知られているが、ノーベル賞は彼がダイナマイト火薬で成した財産を元手にして創設されたものだ。

建築現場などでの安全性を追求するために開発されたダイナマイト火薬だが、その利便性から戦争で使われるようになり、多くの人々の命を奪う結果となった。

いつの時代も開発目的を大きく超えて、ともすれば危険な存在となってきたのが火薬だ。現存する武器は、すべて火薬の発明から地続きといっても過言ではないだろう。

人類が大きな力を持ったとき、それをどう使うか。古代人類の偉大な発明が、現代の人類の命運を握る結果となっているのである。

「羅針盤」――「世界三大発明」が社会に与えた本当のインパクト3

●イスラム教徒に対抗する

「異教徒から聖地エルサレムを取り戻すために戦わなければならない！」

1095年、クレルモン公会議で教皇ウルバヌス2世の演説が大衆を熱狂させた。そして始まった十字軍遠征は、イスラム勢力に対しての虐殺や宗教弾圧という負の側面に対する厳しい評価も多い。

しかし、歴史的に見ると東西の文化交流をもたらし、世界を一体化させていくきっかけになったともいえるのだ。

当時のヨーロッパの商人たちの海洋貿易は、主に沿岸地域に限られていた。しかし、十字軍などでムスリム世界との交易が増えてくると、外洋に漕ぎ出してアジアやアフリカとの交易をめざしたいという気運が高まる。

また、イスラム教徒に対抗するため、キリスト教を世界中に布教したいという教会の思惑もあった。その熱量がもたらしたのが、ヨーロッパの大航海時代である。

先陣を切ったのはポルトガルで、1415年の航海を皮切りにアフリカの喜望峰を回ってインドをめざそうと試みた。ポルトガルのエンリケ航海王子、バルトロメウ・ディアス、ヴァスコ・ダ・ガマなどの活躍で、インドとの香辛料貿易が国に大きな利益をもたらすことになる。

遠洋航海を可能にしたのは、造船技術と航海技術の進歩だ。航海技術の中心となったのが、「羅針盤」である。

当時の最先端技術で作られたキャラック船、ガレオン船などと呼ばれる帆船が、アジアやアフリカ大陸をめざして大海に漕ぎ出し、その船上では乗組員たちが太陽や星の位置を見るのと同様に、羅針盤の針を注視していたのである。

●「指南魚」がはじまり

ルネサンスの三大発明ともいわれる羅針盤だが、正確にいえばそのルーツは中国にある。

魚の形をした木片に磁石をつけて、水に浮かべて方角を知る「指南魚」がルーツだ。最初は占いで使用されていたと考えられているが、一定の方角を示すという規則性に気づいた何者かによって、それが方位を知るための道具として用いられるようになったようだ。

つまり、磁石によって方位を知るという器具は、おそらく偶然によって発見されたということになる。

11世紀ごろの中国の外洋貿易では、15度ごとに区切られた円盤に磁石が取りつけられた羅針盤が使われていた。それが貿易相手であったアラビア商人を通じてヨーロッパに伝えられたとされている。

天文学が進歩していたヨーロッパでは、海の上で方角を知るためには星の位置を見るということは行われていた。

しかし、星の見えない夜や昼間の間は、その技術を使うことはできない。同じ方向に船首を向けているつもりでも、風の向きや潮の流れによって、いつしか方角がずれてきてしまう。そのため、海洋貿易は内海などの陸地に近い範囲に限られていたのだ。

羅針盤は地球の磁気を利用して方角を知ることができる。たとえ船の向きがずれてしまっても、磁針が示す方向にはブレがない。風の向きや潮の流れが変わっても、即座に軌道修正が可能だ。時間帯や天気にも影響を受けないため、長期間海の上で航海を続けることができるのである。

●改良され、持ち運びできる

一定の方向を示し続ける不思議な器具を見たヨーロッパの商人たちは、すぐさまその技術を取り入れ、技術者による研究が始まった。その過程で、羅針盤は水に浮かべなくてもいいように磁針をピボットで支える形に改良されている。こうすることで軽量化が進んで、持ち運びも便利になり、実用性が格段に上がったのである。

これこそが、ルネサンスにおける羅針盤の発明といえるだろう。13世紀から14世紀のヨーロッパにおいて羅針盤が使用されていたという記録もあちこちに出てくる。

羅針盤があれば、天文学の素養がなくても船を正確に航行させることができる。そうなれば、外洋貿易に適した船を作るだけだ。乗組員を大勢乗せて、食料などの生活物資も積むことができる大型帆船の登場である。

その結果、インド洋や大西洋を各国の船が行き交うようになり、世界の国々の距離はぐっと縮まったのである。

大航海時代でもっとも有名な船乗りの一人であるスペインのコロンブスが乗っていたのは、全長20メートル以上の大型帆船サンタ・マリア号だ。3本のマストに帆を張ったキャラック船である。

コロンブスの第1回大西洋横断航海400年を記念して発行された記念切手には、新大陸の発見という偉業を達成した美しい大型船が海の上で帆を張り進む姿が描かれている。

しかし、その大きな船の偉大な業績を支えたのは、絵には描かれていない船の中の小さな羅針盤だった――。

「株式」というしくみは、誰がいつはじめたのか

●イギリス東インド会社とオランダ東インド会社

投資の時代とはよくいったもので、昨今の日本のように賃金が上がらず金利も低いままとなれば、今ある資産を増やすというベクトルも必要になる。その代表格が「株式投資」であり、金融会社は手軽にできる投資商品を並べては「老後の資金調達を！」とあおっている。

株式システムの歴史は意外と古く、実は誰もが中学校の歴史で教わった有名な会社で始まったといわれている。それは、オランダ東インド会社である。

大航海時代のヨーロッパでは、アジアの香辛料を求めてインドに船が殺到し、仕入れ値が高騰するという事態に陥っていた。

しかも、仕入れが増えたぶん、ヨーロッパでの販売価格は下落して、せっかく危険な航海の末に香辛料を運んできても、利益が少なくて事業が立ち行かなくなると

いった事態を招いていたのである。

その状態をコントロールするため、イギリスが１６００年に設立したのがイギリス東インド会社である。エリザベス一世から特許状を得て、国からの正式な認可を受けた形で運営する民間の貿易会社である。

さらに、１６０２年に設立されたのが、オランダ東インド会社だ。北海沿岸に競合していた６つの貿易会社が合併し、安定した利益を得るための巨大な組織をつくったのである。

●スペインとの対立

オランダが東アジア貿易に力を入れることになった背景には、宗教改革を発端にしたスペインとの対立が挙げられる。カルヴァン派の新教徒が多かったオランダは、当時スペインの領地であったが、１５６８年に始まった独立戦争を戦っている最中であった。

スペインにとっては毛織物工業や豊かな農業などで潤っていたオランダの独立は、何としても阻止したいことだった。独立戦争は事実上１６０９年まで続き、正式な独立が認められるウエストファリア条約締結まで80年間という長期間にわたっている。

スペインはポルトガルを領有して香辛料貿易を独占し、オランダへの輸入を妨害しており、それに対抗してオランダは、バルト海の中継貿易に力を入れて富を蓄えている。

その富を使って対アジア貿易を精力的に行った結果、1601年末までに65隻の船が東アジアの香辛料を積んで帰ってきたのである。

しかし、あまりの供給過多と事業の乱立で、利益がうまく回収できなくなってしまう恐れがあった。この事態を収拾するべく、オランダ連邦議会は東インド会社の設立を決めた。そして画期的なシステムを取り入れることによって先行するイギリス東インド会社を猛追したのである。

●運営のしかたが異なる

イギリス東インド会社とオランダ東インド会社は、名前こそ似ているがその運営方法はまったく違っている。

イギリス東インド会社は、1回の航海ごとに出資者を募り、航海が終わればその利益を出資者に分配して解散するというシステムをとっていた。乗組員も船も、航海が終わるごとに解雇や返却という形をとり、事業に継続性はない。

一方、オランダ東インド会社は、ひとつの航海ごとに事業を精算するのではなく、継続して運営する形をとっていた。

出資者から集めた資本は、基本的には10年間据え置かれ、使い方は会社が決められる。航海ごとに事業を清算する必要がなくなるため、乗組員の雇用が継続できるし、船も手放さずにそのまま使うことができる。

安定した雇用は優秀な人材を確保するうえでは重要な要素であることは現在も同じだろう。船の借り換えがなくなれば、その分のコストも削減できる。

●出資者のリスクは？

さらに、出資者のリスクという点でも大きな違いがあった。イギリス東インド会社の場合は無限責任制であり、船の沈没などで負債が生じた場合は、出資者がすべての責任を負う必要があったのだ。

航海という危険な事業につきもののリスクを考えれば、出資に対するハードルを上げているといわざるをえない。

他方、オランダ東インド会社は有限責任制を導入した。出資者はそれぞれが投資した額以上の責任を負う必要はなく、莫大な資金力がなくても人々が気軽に出資できるシステムになったのだ。

オランダ東インド会社の採用した資本調達のシステムこそが、現代の株式会社と同じ発想だということがわかる。

安定した経営が広く継続的な資本投入を生み、その資本を使ってさらに事業を展開させる。その好循環を生んだからこそ、後発ではあってもイギリス東インド会社を凌駕し、東アジア貿易のシェアを拡大することができたのである。

第一次世界大戦の戦況を変えた〝移動式要塞〟「戦車」の誕生

●激戦地ソンムに登場

2022年に始まったロシアによるウクライナ侵攻で、ウクライナ側に供与されると話題となった兵器がドイツの主力戦車「レオパルト2」だ。このレオパルト2は最高速度70キロメートル、銃弾の装甲貫徹力が高く、走行中でも的確に砲撃できるというNATO陣営最強クラスの戦車といわれている。

また、兵士が搭乗するスペースと弾薬庫が分かれているので、砲弾の爆発によって兵士の命を奪うことがないよう設計されているなど防護性も高いことから、1972年の登場以来、40年余りにわたりヨーロッパで2000台近くが使用されている。

頑丈な装甲ボディにミサイルを搭載し、足元ではベルトコンベヤーのように無限にレールが循環してどんな悪路をも乗り越えていく。現在のような戦車が世界で初めて戦場に降り立ったのは第一次世界大戦のときだ。

イギリスが開発した世界初の戦車「マークI」は1916年、北フランスの激戦地ソンムにその姿を現した。

●農業用トラクターがヒント

マークIとして戦場デビューする戦車を開発したのは、イギリス軍将校のアーネスト・スウィントン少将だ。

その当時、戦場で使われていた車両といえば装甲車だった。ドイツの自動車メーカーのダイムラー社の子会社社は、既存の自動車の車体を厚い鋼板で覆い、機関銃で武装したものを製造しており、またイギリスでもタクシーで有名なオースチン社やロールスロイス社が一般車両をベースに武装した装甲車を開発していた。

ただし、足回りは四輪なので不整地に弱く、ぬかるみにはまれば身動きがとれない。そして第一次世界大戦の前線には長々と塹壕が連なり、大量に張り巡らされた有刺鉄線にも行く手を阻まれていて、装甲車では歯が立たなかった。

スウィントンはこうした状況を突破できる、なにか強力な車両はないものかと考えていた。そこにヒントとして浮かび上がってきたのが農業用トラクターだった。トラクターの足元は、のちにキャタピラーと呼ばれるようになる無限軌道がついていて、ぬかるんだ道や急斜面もスリップすることなく走行している。

「これだ……！」

スウィントンは数か月で陸上運搬委員会を立ち上げ、農機具メーカーと契約すると、着想からわずか3年でマークIを実戦配備させたのだ。

●オーストラリアにも発明者が

因果関係のない2つの事象が類似性を持つことをシンクロニシティというが、実はイギリスから遠く離れたオーストラリアでも無限軌道を取りつけた車両について着想していた人物がいた。

彼の名前はランスロット・デ・モールといい、オーストラリアの技術者だった。

1911年、デ・モールは西オーストラリアを調査中、岩だらけの道の移動に手こずっていた。上下左右に大きく傾く車体を落ち着けるようにゆっくりと走りながら、彼はどんな悪路でもスムーズに進むことができる何かいい乗り物はないものだろうかと考えた。

列車のように線路の上を走れば振動はほとんどない、かといってこのでこぼこ道にレールを敷き詰めるのは現実的ではない…。

「そうだ、車輪に線路状のものを巻きつけてみてはどうだろうか」

このとき、デ・モールの脳裏には、無限軌道でどんな荒れ地もグイグイと推進していく自動車が浮かんだに違いない。

それから、さらにアイデアを練っていると、ふとある用途に需要があるのではないかと考えた。それは軍用装甲車だった。

●イギリスからは音沙汰なし

強靭なボディの装甲車に無限軌道をつけたら、どんな障害物も踏み越えていけるのではないか。デ・モールのイメージはどんどん膨らみ、これは需要があると確信するとさっそく設計図を作成し、模型とともにイギリス戦争省に送りアプローチをかけてみた。

デ・モールの設計した戦車は、乗り物というよりは移動式の要塞だった。全長12

メートル、鉄の板を線路のようにつなぎ合わせて作った無限軌道は5メートルの濠もラクラク越えることができる。前進はもちろんバックもできた。これ以上ない自信作だったに違いない。

しかし、数か月待ってもイギリス当局からは何の返事も連絡もなかったのだ。

●発明者は誰？

時系列でみると、スウィントンが無限軌道の戦車を構想したのは、デ・モールの設計図がイギリス当局に送られたあとだ。

しかも、塹壕をものともせず、車体の重みで有刺鉄線をなぎ倒して進むまさに「移動式の要塞」といえるもので、スウィントンのそれはデ・モールのイメージにかなり近いものだったといえる。

では、スウィントンはデ・モールの設計図と模型を参考にマークⅠを開発したのだろうか。

どうやらそうではなさそうだ。無限軌道は19世紀初頭にはイギリスで発明されていて、トラクターは戦前から欧米の農地で活躍していた。

つまり、装甲車に無限軌道を取りつけることは世紀の大発見というわけではなかったのだ。実際、スウィントンがイギリス戦争大臣に新しい戦車の構想を伝えると、一笑に付されたという。

しかし、初めて実戦投入した際の威力は絶大だった。塹壕を横断し、有刺鉄線を切り裂いて前進する鉄の塊に、ドイツ兵は度肝を抜かれ一目散に逃げだしたという。

●開封されなかった設計図

第一次世界大戦の膠着（こうちゃく）状態を打破し、連合軍に勝利をもたらした戦車は、その後各国で開発されていくことになる。

その状況を複雑な思いで見ていたのがデ・モールだ。彼は、我こそが戦車の発明者であると第一次世界大戦が終わるとイギリスの王立委員会に訴えた。

これに対して、委員会はたしかにデ・モールがマークIの構想よりも早く、1912年に優れた戦車を発明したことを認め、さらにその性能はマークIよりも高かったと評価した。

しかし、実際に世界で初めて実戦投入されたのは、まぎれもなくスウィントンが構想し、開発したマークIだった。

この開発に先駆けて提出されていたデ・モールの設計図と模型は、たしかにイギリス戦争省に届いていたのだが、開封されることなく埃を被ってその存在さえ忘れられていたのだった。

もしもデ・モールが送った設計図が開封されていて、そのアイデアがすぐにでも採用されていたら、第一次世界大戦の戦いはまた違ったものになっていたのかもしれない。

X線から核分裂まで、「放射線」の研究は、世界をこう変えた

●すべてのはじまり

1895年、ドイツのヴュルツブルク大学にある実験室では、レントゲン博士が真空放電の実験の最中だった。50歳にして大学の総長でありながらも、現役の物理学者として日々、実験室で過ごしていたのだ。真空放電とは、ガラス管の中に電極を封入して電圧をかけながら真空にすると陰極線という放射線が出る現象のことである。

その日は11月8日。そろそろ夕食の時間になり、博士は部屋を出ようと明かりを消した。さて、今夜は何を食べようかと考えながら、ふと室内を振り返ったとき、博士の目に思いがけない光景が飛び込んできた。ガラス管のそばの蛍光板が青く光っているのだ。

「実験装置のスイッチを切り忘れたようだな。私としたことがうっかりしていた」

そう思って部屋の中に戻ろうとして、はっと気づいた。ガラス管は黒い紙で覆ってあるので、陰極線の光であるはずがないのだ。

「ではいったい、何の光だ？」

ついその光に触れようとするかのように、なにげなくガラス管と蛍光板の間に手を入れてみた。そして、驚いた。なんと、自分の手の骨が映し出されていたのだ。

「これは何だ？　今まで知られていない新種の放射線ではないか？」

彼はその正体不明の光線を「X線」と命名して、さっそく研究を始めた。そして、多様な物質を透過するが鉛で遮蔽できる、蛍光物質を発光させるが熱を伴わない、といった性質を突き止めたのである。

ふつうの光は厚いボール紙で簡単に遮ることができるが、X線はたとえば分厚い本を放電管と蛍光スクリーンの間に置いても遮られずに蛍光スクリーンを光らせる。

その驚異的な透過力を利用したオペラグラスなどが商品化されたのをはじめ、医療機器会社は博士を厚遇で誘った。また、特許取得をすすめる人も多かった。

しかし、レントゲン博士はX線を利潤追求の道具にする気は毛頭なかった。X線は人類が広く利用すべきものであり、全人類の財産だと考えたのだ。そして、この世にX線の存在が知られるようになった。その功績によりレントゲン博士は、1901年に第1回ノーベル物理学賞を受賞したのである。ちなみにその莫大な賞金さえも全額を大学に寄付している。

こうして人類と放射線との関係が始まったのである。

●人類とウランとの新しい関係

レントゲンによるX線の発見は、世界中でさまざまな波紋を広げたが、そのうちのひとつは、1896年にフランスで起こったある出来事だった。

太陽光線をウラン塩に当てて燐光を発生させる実験を繰り返していたベクレルという研究者がいた。しかし冬の日のパリは天気の悪い日が何日も続き、なかなか太陽が出ない。

そこでベクレルはしかたなく黒紙に包んだ写真乾板（光に反応するガラス板）とウラン鉱石を同じ引き出しに入れ、太陽が顔を出すのを待った。

そして数日後、ようやく太陽が照り始めたので、ベクレルは久しぶりに引き出しをあけてみた。すると、写真乾板が前よりもっと黒く感光していることに気づいた。

「どういうことだ？　もしかしてウランのせいか？」

こうして彼は、太陽の光がなくてもウラン鉱石自身が自発的に写真乾板を黒くしてしまうものを放出していることに気づいた。

もしかしたらウランにはX線に似た放射線を出す力があるのではないか、それは人類とウランとの間に新しい関係が始まった瞬間だった。

しかし彼は、その発見がのちに思いがけない展開をたどり、そして重大な悲劇へつながるなど想像さえもしなかった。

●マリー・キュリーの歴史的発見

ところで、ベクレルが放射能を発見したときには「放射線」という言葉はまだなかった。

物質そのものが放射線を出す能力のことを「放射能」と名づけたのは、ポーランド生まれの物理学者・化学者マリー・キュリーである。ノーベル賞を二度も受賞し、世界でもっとも知られる女性科学者は、いかにして科学史にその名を残したのだろうか。

マリー・キュリーは志の高い研究者だった。新しい研究をして博士論文を書きたくて、そのテーマを探していた。そんなある日、科学雑誌でベクレルの放射線発見の論文を見たのだ。

放射線の正体をぜひ自分で突き止めてみたい、と夫に相談すると、夫もすぐに同意し、そして自分が勤務する科学学校の倉庫を実験室として使えるように頼んでくれた。最新式の施設ではなく、夏は高温多湿、冬は冷蔵庫のような古い建物だったが、しかしキュリー夫人は文句ひとつ言わず研究に打ち込んだ。

やがて彼女はウラン鉱石以外にも放射線を発生させる鉱物を発見した。ピッチブレンド（瀝青（れきせい）ウラン鉱）というものである。

もしかしたらこの石の中には、未知の元素が隠れているのかもしれない、と直感した彼女は、今度はその未知の元素を探し出すことに明け暮れた。

そしてついに1898年、ウラン鉱石の約200倍もの放射能を持っている元素を発見する。それはのちに「ラジウム」と名づけられた。

ただ、それはあまりにも微量だったので、発見の証拠とするにはもっと大量に必要だった。そこで大量のピッチブレンドを馬車で運び込んで、丹念にラジウムを集めた。それは気の遠くなるような作業だったが、1903年、ついに10分の1グラムのラジウムを取り出すことに成功したのである。

ある晩、そのわずかなラジウムを瓶に入れて実験室に置き、キュリー夫人は夫とともに帰宅した。家ではよき妻でありよき母である彼女は、いつものように家事をしていたが、なぜかラジウムのことが気になってしかたがない。

もしかしたらそれは、優れた科学者だけが持つ本能かカンのようなものだったのかもしれない。ともかくキュリー夫人は、家事が落ち着いてからあらためて実験室に行ってみた。

すると思いもしなかった現象が起こっていた。実験台の上に置いてあったラジウムが青白く光っていたのだ。それこそが、ラジウム発見の瞬間だった。

最初に分離されたラジウムは量も少なく、純度も低かったので、その後3年余りも研究を続け、純粋なラジウムの分離に成功した。分離されたラジウムの放射能を測ってみるとウランの百万倍も強いものだったのだ。

この功績によりキュリー夫妻はベクレルとともに1903年にノーベル物理学賞を、また1911年にマリー・キュリーがノーベル化学賞を受賞したのである。

ラジウムは、その後、病気の治療や時計の夜光塗料などにも利用されるが、しかし、その先にはもうひとつの別の未来が待っていた。

●新たな計画

1898年から1900年にかけて、イギリスのラザフォードやフランスのヴィラールは、ウランからX線とは別の放射線が出ていることを発見、アルファ線、ベータ線、ガンマ線と名づけた。「アルファ線」はヘリウム原子核が速く飛んでいるもので、「ベータ線」は電子が速く飛んでおり、「ガンマ線」は見えない光の仲間であることも判明した。

これらの研究はさらに大きな発見へとつながる。それはウランによる「核分裂」である。そして、そのときからウランは人類にとって重要な意味を持つ物質となった。その重要性を具体的な形にしたのが、オッペンハイマーである。

世界的な大ヒット映画『ジュラシック・パーク』には、ネドリーという悪役が登場するが、そのネドリーのパソコンにはある人物の白黒写真が貼られている。好きなアイドルなどの写真をパソコンに飾る人は珍しくないが、しかしそれは地味な初老の男だ。それこそがネドリーにとって憧れの人物「原爆の父」といわれるロバート・オッペンハイマーである。

なぜ監督のスピルバーグはこの映画にオッペンハイマーの写真を登場させたのだろうか。おそらく現代科学が生み出したテクノロジーによって安易に作られたジュラシック・パークに、核分裂というテクノロジーが生み出した原子爆弾を重ね合わせたと思われる。

1938年、オットー・ハーンとフリッツ・シュトラスマンらにより、核分裂反応の研究が発表された。物理学者のレオ・シラードは、ナチス・ドイツがこの力をもとに兵器利用することを恐れ、アインシュタインに連絡をとり、ルーズベルト大統領へ核開発を進言する手紙を送っている。

それにより1942年10月、ルーズベルト大統領が核兵器開発をスタートさせてしまったのが「マンハッタン計画」だ。そして、その科学部門のリーダーに選ばれたのがオッペンハイマーである。

●我は死なり、世界の破壊者なり

ニューメキシコ州サンタエフェの北西部にあるロスアラモスの研究所には、世界中から著名な科学者たちが集められた。そしてオッペンハイマーの指揮のもと、極秘のうちに進められたのは原子爆弾の開発だった。

１９４５年7月16日、早朝、ニューメキシコ州アラモゴードの砂漠ホワイトサンズにて、人類初の核実験「トリニティ」が行われた。

実験のあとには、深さ３メートル、直径３３０メートルのクレーターが残され、爆発時に発生したキノコ雲は高度12キロにも達した。それを目撃したオッペンハイマーは、ある詩人の言葉を引用して自らをこう呼んだ。

「我は死なり、世界の破壊者なり」

科学者たちは「やった！」と叫んで成功を噛み締めたが、トリニティ実験の責任者だったケネス・ベインブリッジはオッペンハイマーに「これでみんなクソ野郎ですね」と言った。彼らは初めての核実験を見て、自分たちがいかに恐ろしいものを生み出したのかを知ったのである。

しかし、時はすでに遅かった。

実験の翌月、8月6日に広島へ「リトルボーイ」が、続いて3日後の8月9日には長崎へ「ファットマン」というふたつの原子爆弾が投下されたのである。

1945年10月、オッペンハイマーはロスアラモスを去り、もう二度と核兵器の開発には手を出さなかった。

1947年にはプリンストンの高等学術研究所の所長となり、湯川秀樹や朝永振一郎を客員教授として招いた。自分が作った原子爆弾が投下された国からやってきた科学者たちを、彼はどんな気持ちで迎えたのだろうか。

1967年、オッペンハイマーは、核兵器は悪だが物理学では悪ではないという信念を抱いたままでこの世を去った。

そして、レントゲンによるX線の発見から始まった人類と放射能との関係は、先人たちが想像もしなかった深刻な形となって今もまだ続いている。

「天然痘ワクチン」開発からはじまった撲滅までの長き道のり

●たまたま耳にした村人のひと言

「私は前に牛痘にかかったので、天然痘にかかることはありません」

それは、ある医者の見習いの青年がたまたま耳にした名もなき村人の言葉だった。しかし、そのたったひとつの言葉がその青年の心を動かし、のちに世界の人々を救う貴重なワクチンの誕生へとつながったのである。

青年の名はエドワード・ジェンナー。「天然痘ワクチン」を開発したことで歴史に名を残すことになった人物だ。ただ、その言葉を聞いたときには、まさか自分がそんな偉業を成し遂げるとは想像もしていなかったはずだ。

彼は1749年にイギリスのバークレイという小さな農村で生まれた。そこは乳牛の放牧が盛んで、彼は幼い頃から酪農の世界で育った。

1761年、ジェンナーは12歳のときに開業医のダニエル・ラドロウに弟子入りして、その後9年間にわたって医学の勉強をした。冒頭の村人の言葉は、このときに聞いたものだ。

古くからイギリスの酪農地帯では、牛の皮膚に痘疱（とうほう）が多数できる伝染病がたびたび流行していた。乳牛の乳房に多数の痘疱ができ、乳搾りの人の手がこの痘疱に触れると、手の傷から牛痘にかかり2～3週間後には瘡蓋（そうがい）となって治っていた。

ほとんどの乳搾りの人は牛痘にかかったことがあるので、天然痘にはかからなくてすむようになったのではないか、ジェンナーはそこに何らかの因果関係があるのではないかと考えた。

●考えるよりも実験をすること

天然痘は、紀元前より伝染力が非常に強く死に至る疫病として人々から恐れられていた。また、治癒した場合でも顔面に醜い瘢痕（はんこん）が残るため、江戸時代には「美目定めの病」といわれ、忌み嫌われていたとの記録がある。

その瘢痕は、一般的に「あばた」と呼ばれた。あばたがある人は天然痘に感染した証拠なのである。

ところがジェンナーは、乳搾りをしたり羊飼いをしている人よりも、そんな仕事とは無縁の都会の女性のほうが、あばたが多いことに着目していた。村の女性は自分が牛痘にかかったので天然痘にはかからないと確信を持って言っていたが、それはおそらく経験的に間違いのないことだと考えた。

1770年、彼は21歳のときにロンドンに出て、外科医、植物学者として有名なジョン・ハンターのもとで医学を学ぶようになる。もちろんジェンナーは、牛痘のことについて何度もハンターに質問した。あまりにも質問ばかりするので、あるときハンターはこう答えた。

「あまり考えることはやめて、とにかく実験してみることだ。実験こそが真実に近づくための唯一の方法なのだから。ともかく辛抱強く、そして正確にね」

この言葉はジェンナーにとって大きな指針となった。

1773年、24歳のときにジェンナーは故郷のバークレイに帰って開業医として仕事を始めたが、同時に牛痘種痘法にも真剣に取り組むようになった。

「乳搾りの女性はけっして天然痘にかからない」……、ジェンナーが注目したのは、乳搾りの女性は弱い天然痘にはかかるが、天然痘自体にはかからないという事実だった。

牛痘にかかった人間は、手に水膨れができる。そのことからジェンナーは、水膨れの中の液体が何らかの方法で病気になるのを防いでいるのではないかと仮説を立て、恩師のハンターに言われたとおり、それを実験で確かめることにした。

●天然痘撲滅宣言の実現

彼は試しに、甥のヘンリー・ジェンナーとともに牛痘にかかったことのある19人に天然痘の膿を植えてみた。すると、すべての人で皮膚が赤くなるだけで、疱瘡はできなかった。その後実験を重ねて、今度は牛痘の膿を植えてみることにした。

「よし、さらに一歩踏み込んだ実験をしてみよう」

ヘンリーは不安だったが、しかしジェンナーには確信があった。それは幼い頃から農村で育ってきた経験によるものだったかもしれない。

実験が行われたのは1796年5月14日のことだ。8歳の少年ジェームス・フィップスの腕に乳搾りの女性サラ・ネルメスの手にできた典型的な牛痘病変から採った材料を接種した。これが歴史上最初の種痘となった。ちなみに、ジェームスはジエンナー家の使用人の息子だといわれている。

「私の考えが正しければ、ジェームスは発症しないはずだ」

1週間後に微熱が出た。しかしすぐに下がった。そこで約6週間後の7月1日に天然痘を接種した。しかし、発症はしなかった。

実験はうまくいったかに思えたが、しかしハンターの言葉を思い出し、ジェンナーは、もう一度実験したいと思って牛痘の患者が出るのを待った。

すると2年後にそのチャンスが訪れた。孤児院の赤ん坊数人に対して実験をすることができたのだ。もちろんジェンナーの予想したとおりの結果だった。

彼の研究はすぐには認められなかったが、論文を自費出版し、貧しい人々に無料で1日に300回も接種を行って成果を上げ、少しずつ世間に認知されるようになった。1803年には、イギリスにジェンナー協会が設立されている。

やがてジェンナーの努力は報われ、ついに1980年、WHO（世界保健機関）による天然痘撲滅の宣言へとつながったのである。

▽遺伝子編集の革命児「CRISPR-Cas9」とは、何か

■遺伝子の「ハサミ」

２０２０年のノーベル化学賞は、フランス出身のエマニュエル・シャルパンティエと、アメリカ出身のジェニファー・ダウドナという二人の女性研究者に贈られた。受賞の理由は、二人が研究開発した「CRISPR-Cas9」への功績によるものである。

CRISPR-Cas9（クリスパーキャスナイン）とは、生物の遺伝情報を自在に書き換えることができるゲノム編集の新たな手法である。ゲノム編集はこれまでもあったが、CRISPR-Cas9は時代を大きく変えてしまうほど画期的で優れたものだといわれている。

今や生命科学の分野にとって欠かせないともいわれるCRISPR-Cas9だが、なぜそれほどまでに注目を集めているのだろうか。

ゲノムには、生物の特徴や機能といった情報のすべてが集まっている。そしてゲ

ノム編集とは、酵素の「ハサミ」を使ってゲノムを構成するDNAを切断し、遺伝子を別のものに書き換える技術のことをさす。その技術には、人間やあらゆる生物のあり方や未来を変えてしまうほどの可能性が秘められている。

もちろん、これまでも遺伝子組み換えの技術は研究されてきた。すべての生命の遺伝情報を保存しているDNAを操作することで、たとえばホルモン製剤を生産したり、害虫に耐性を持つ遺伝子組み換え作物が作られてきた。

しかし従来の遺伝子組み換え技術には、ひとつの限界があった。ある目的により遺伝子を挿入することはできる。しかし特定の位置を狙うことはできず、そのために狙いどおりの操作をすることはむずかしかった。それが大きな支障となっていたのだ。

ところがCRISPR-Cas9を使った編集技術では、DNAの二本鎖を、ある狙った配列のところで切断することが可能になったのである。これは画期的なことなのだ。

■使い勝手がよく低コスト

これまでにも、このような遺伝子のハサミは存在した。最初は1996年ごろに確立したが、狙いを定めるためのタンパク質の設計方法がとても複雑で、さらには場所も限られているので、ほとんど普及しなかった。

その後2009年ごろに新しいハサミが誕生するが、狙える場所が少し増えただけで、あまり役に立つものではなかった。

そうして2012年に登場したのがCRISPR-Cas9である。これは、原理的にはDNA配列のどんな場所でも簡単に狙って切れるのが特徴で、この技術が使えるようになったことで、ゲノム編集技術そのものも一気に注目されるようになったのである。

CRISPR-Cas9は、これまでのハサミとはまったく異なり、切るところにFokIではなくCas9というタンパク質を用いている。また、場所を狙うためのしくみに「ガイドRNA」を使うことで設計が簡便になり、低コストになった。

ノーベル化学賞を受賞した二人の研究者は、その功績が称えられたのである。二人は「いずれCRISPR-Cas9は、生物系のどの研究室に行っても必ず装備されているツールのひとつになる」と断言したが、それは今や現実のものになりつつある。

■すでに応用研究は進んでいる

CRISPR-Cas9の開発のきっかけは、細菌がウイルスから身を守る免疫の研究だった。

ダウドナとシャルパンティエの二人は、細菌が持つ免疫機能が感染したウイルスの遺伝子を切断することに注目した。そして、細菌が持つ「Cas」と呼ばれる酵素でウイルスを切断し、切断された場所の遺伝情報を細菌の遺伝子中の「CRISPR」という場所で記憶していることを突き止めたのだ。

これは何を意味するかといえば、ウイルスの遺伝子を覚えているので、同じウイルスが感染してもすぐに切断して退治できるということである。

二人は、この免疫のしくみをゲノム編集技術に応用した。つまり、狙った遺伝子に結合する「ガイドRNA」を酵素の「Cas9」に取りつけることで、ターゲットとなる遺伝子を確実に切断できるようにしたのである。切断した遺伝子の機能を欠落させたり、そこに別の遺伝子を挿入したりすることもできる。

2012年に発表されるとすぐに世界中で注目され、あっという間に世界の研究機関で活用されるようになった。あまりに簡易に使えるので、小さな研究所レベルでも取り入れられている。もちろん、いろいろな形でその結果が出されている。

そして現在では、たとえばトマトなど新たな動植物の育種に生かされている。また、今はまだマウスやラットを用いた研究段階ではあるが、デュシェンヌ型筋ジストロフィーや網膜色素変性症などの症状をゲノム編集によって快癒させたという報告もある。新しい動植物の品種の誕生をはじめ、医薬品開発や治療技術への期待は大きいのだ。

日本でも魚の筋肉量を調節する遺伝子を欠落させることで、身の多い魚を作り出す研究などが進められている。もしかしたら、そう遠くない未来には、CRISPR-Cas9で生み出された新しい食糧を口にしているかもしれないのだ。

■突きつけられた課題とは

一方、CRISPR-Cas9には、慎重に考えなければならない倫理的な課題もある。たとえば、2018年に中国の研究者がエイズを発症させるウイルスに感染しにくくなるよう、受精卵にゲノム編集を行っている。

そのような行為が許されるのかどうか、長い議論が必要であり、人間に対するゲノム編集の応用はどこまで許容されるのか、研究者の倫理観などが問われるむずかしい問題である。

もちろん、あまりにも応用範囲が広く、インパクトが大きすぎるため、その技術をどこまで適用していいのか、ガイドラインの作成も重要である。極端にいえば、胎児の遺伝子情報を書き換えることさえも可能なのだ。安易な利用をしないように何らかの制限を設ける必要があると考えられている。

人類は新たな技術を手に入れたが、同時に深い問題を突きつけられていることもまた事実なのである。

○参考文献

『グーテンベルクの時代』(ジョン・マン著・田村勝省訳/原書房)、『デジタル書物学事始め』(安形麻理/勉誠出版)、『伝記世界を変えた人々　グーテンベルク』(マイケル・ポラード著・松村佐知子訳/偕成社)、『詳説世界史』(山川出版社)、『世界の発明発見歴史百科』(テリー・ブレヴァートン著・日暮雅通訳/原書房)、『エネルギー400年史』(リチャード・ローズ著・秋山勝訳/草思社)、『戦争がつくった現代の食卓』(アナスタシア・マークス・デ・サルセド著・田沢恭子訳/白揚社)、『面白いほどわかる　発明の世界史』(中本繁美監修/日本文芸社)、『世界史は化学でできている』(左巻健男著/ダイヤモンド社)、『ヒロシマを壊滅させた男オッペンハイマー』(ピーター・グッドチャイルド著・池澤夏樹訳/白水社)、『エネルギーの愉快な発明史』(セドリック・カルル、トマ・オルティーズ、エリック・デュセール著・岩澤雅利訳/河出書房新社)、『アルマ望遠鏡が見た宇宙』(平松正顕、渡部潤一 監修/宝島社)、『戦争と科学者　世界史を変えた25人の発明と生涯』(トマス・J・クローウェル著・藤原多伽夫訳/原書房)、『人類の歴史を変えた発明』(ジェームズ・オローリン序文・ジャック・チャロナー編集/ゆまに書房)、『ライト兄弟はなぜ飛べたのか　紙飛行機で知る成功のひみつ』(土佐幸子/さえら書房)、『Acore・おおみや　17号』(2013年4月5日/一般社団法人アコレおおみや)、ほか

○参考ホームページ

ぷりんとぴあ、ナショナルジオグラフィック、世界史の窓、量子科学技術研究開発機構、キャノングローバル戦略研究所、NHK NEWS WEB、MONEY PLUS、man@bow、空間情報クラブ、GoogleArts & Culture、日本顕微鏡工業会、アサヒオプティカル、セイコーオプティカルプロダクツ、Precious.jp、PARIS MIKI、東京メガネミュージアム、メガネスーパー、メガネポータル、WIRED、日本科学未来館、ＪＡＸＡ、日本経済新聞、東洋経済オンライン、BBC NEWS JAPAN、海上保安庁　海洋情報部、ブリヂストン、世界遺産オンライン、古代ローマライブラリー、国土交通省、サントリー、10ＭＴＶ、荏原製作所、琉球新報社、じゃかるた新聞、日本人類学会、産経フォト、沖縄県立博物館・美術館　博物館紀要、Buzzfeed News、海洋政策研究所、慶応義塾大学メディアセンター、集英社新書プラス、専修大学図書館ニュースレター、日本聖書協会、国立国会図書館、早稲田大学図書館、みんなの暮らしと放射線展、ダイヤモンドオンライン、文春オンライン、ブルーバックスアウトリーチ、公益財団法人環境科学技術研究所、毎日が発見ネット、日本ベクトン・ディキンソン株式会社、電気通信主任技術者総合情報、東京工業大学、公益財団法人 高柳健次郎財団、高柳記念館、アルマ望遠鏡—国立天文台、ほか

青春文庫

歴史の歯車をまわした 発明と発見 その衝撃に立ち会う本

2023年11月20日　第1刷

編　　者　おもしろ世界史学会

発行者　小澤源太郎

責任編集　株式会社プライム涌光

発行所　株式会社青春出版社

〒162-0056　東京都新宿区若松町 12-1
電話 03-3203-2850（編集部）
03-3207-1916（営業部）
振替番号　00190-7-98602

印刷／中央精版印刷
製本／フォーネット社

ISBN 978-4-413-29840-7

ほんとうのあなたに出逢う ◆ 青春文庫

図説 家康が築いた
江戸の見取り図

江戸城・武家屋敷・五街道・六上水・裏長屋・新吉原… すべては百万都市に張り巡らされた壮大な〝仕掛け〟だった！

中江克己

(SE-827)

日本史を変えた
「最後の○○(まるまる)」

時代の終焉に遭遇した13人の目撃者たち――。彼らの〝沈黙〟から、歴史の裏を暴く。

日本史深掘り講座［編］

(SE-828)

たったひと言で、人間関係が変わる
気の利いた言い換え680語

本音を言っても、嫌われないすごいワザ！どっこいどっこい→遜色ない、朝令暮改→臨機応変…話題のベストセラーLEVEL2！

話題の達人倶楽部［編］

(SE-829)

一流の「雑談」を手に入れる
話のネタ大百科

15万部突破のベストセラー、『できる大人の話のネタ全書』に、〝新ネタ〟をプラスして初の文庫化！

話題の達人倶楽部［編］

(SE-830)